Collection QA **compact**

Du même auteur

Le Hasard et la volonté, roman, Québec Amérique, coll. Littérature d'Amérique, 2012.

Le temps qui m'est donné, roman, Québec Amérique, coll. Littérature d'Amérique, 2010.

Cette année s'envole ma jeunesse, récit, Québec Amérique, coll. Littérature d'Amérique, 2009.

- **Finaliste Prix du gouverneur général 2009**

Ceci est mon corps, roman, Québec Amérique, coll. Littérature d'Amérique, 2008.

- **Finaliste Prix du gouverneur général 2008**
- **Mention d'excellence de la Société des écrivains francophones d'Amérique**

Quand les pierres se mirent à rêver, poésie, Le Noroît, 2007.

La Fabrication de l'aube, récit, Québec Amérique, coll. Littérature d'Amérique, 2007.

- **Prix des libraires du Québec 2007**

Voici nos pas sur la terre, poésie, Le Noroît, 2006.

Le Jour des corneilles, roman, Les Allusifs, 2004.

- **Prix France-Québec/Jean Hamelin 2005**
- **Prix du livre francophone de l'année 2005, Issy-les-Moulineaux, France**
- **Finaliste Prix des Cinq continents 2005**

Turkana Boy, roman, Québec Amérique, coll. Littérature d'Amérique, 2004.

Le Petit Pont de la Louve, roman, Québec Amérique, coll. Littérature d'Amérique, 2002.

Mon père est une chaise, roman jeunesse, Québec Amérique, coll. Titan, 2001.

Les Choses terrestres, roman, Québec Amérique, coll. Littérature d'Amérique, 2001.

Garage Molinari, roman, Québec Amérique, coll. Littérature d'Amérique, 1999.

- **Finaliste Prix France-Québec**

Comme enfant je suis cuit, roman, Québec Amérique, coll. Littérature d'Amérique, 1998.

Collaborations

Comment écrire un livre, nouvelle, dans *Ma librairie indépendante* (collectif), publié par l'Association des libraires du Québec à l'occasion de son 40e anniversaire, 2010.

Hum..., texte d'humeur, Fides, dans *La Vie est belle!* (collectif), album de textes et de photographies par Isabelle Clément, 2008.

Ici Radio-Canada – 50 ans de télévision française, ouvrage commandé par la Société Radio-Canada soulignant le 50e anniversaire de la télévision publique canadienne (en collaboration avec Gil Cimon), Les Éditions de L'Homme, 2002.

Le Chien qui voulait apprendre le twist et la rumba, nouvelle, dans *Récits de la fête* (collectif), Québec Amérique, 2000.

LE JOUR DES CORNEILLES

Catalogage avant publication de Bibliothèque et Archives nationales du Québec et Bibliothèque et Archives Canada

Beauchemin, Jean-François
Le jour des corneilles
(Collection QA Compact)
Éd. originale : Montréal : Les Allusifs, 2004.
ISBN 978-2-7644-2252-6 (Version imprimée)
ISBN 978-2-7644-2537-4 (PDF)
ISBN 978-2-7644-2538-1 (ePub)
I. Titre.
PS8553.E171J68 2013 C843'.54 C2013-940523-2
PS9553.E171J68 2013

Conseil des Arts du Canada Canada Council for the Arts

SODEC Québec

Nous reconnaissons l'aide financière du gouvernement du Canada par l'entremise du Fonds du livre du Canada pour nos activités d'édition.

Gouvernement du Québec – Programme de crédit d'impôt pour l'édition de livres – Gestion SODEC.

Les Éditions Québec Amérique bénéficient du programme de subvention globale du Conseil des Arts du Canada. Elles tiennent également à remercier la SODEC pour son appui financier.

Québec Amérique
329, rue de la Commune Ouest, 3e étage
Montréal (Québec) Canada H2Y 2E1
Téléphone : 514 499-3000, télécopieur : 514 499-3010

Dépôt légal : 2e trimestre 2013
Bibliothèque nationale du Québec
Bibliothèque nationale du Canada

Lecture de sûreté : Philippe Paré-Moreau
Conception graphique : Julie Villemaire
Montage : Karine Raymond
En couverture : Photomontage réalisé à partir d'œuvres de Eugene Ivanov / Shutterstock et de andreiuc88 / Shutterstock

www.quebec-amerique.com

JEAN-FRANÇOIS BEAUCHEMIN

LE JOUR DES CORNEILLES

Québec Amérique

L'auteur remercie le Conseil des arts et des lettres du Québec pour sa contribution financière à l'écriture de ce livre.

NOTE DE L'AUTEUR

Le Jour des corneilles méritant, il me semble, de survivre à la faillite de son premier éditeur, j'ai cru bon de confier aux Éditions Québec Amérique la tâche de prendre ici le relais. Cette œuvre écrite en quinze jours, qui a passionné un vaste public tant au Québec qu'en France, et dont on a tiré un film ma foi fort émouvant, connaît en effet un succès qui dure, et que je n'avais pas prévu. J'étais le dernier à me douter qu'une histoire aussi insolite, racontée dans un langage non moins étonnant, ferait à ce point impression dans les esprits. J'avais craint aussi qu'on ne retienne d'elle que sa part de violence, de colère et de chagrin. Je me réjouis qu'on y ait surtout aperçu le témoignage d'un homme qui, dès lors qu'il apprend à lire et à écrire, à nommer avec justesse les choses, se libère de son animalité. Ce que le personnage central de cette brève histoire expérimente, c'est qu'il n'y a pas d'humanité sans la parole. C'est, à mon avis, l'aspect le plus important du récit que fait le fils Courge devant ses juges. Aussi, chaque mot compte dans ces pages qu'on s'apprête à lire, et tout ce que j'y ai mis est vrai, dans la mesure évidemment où l'on croit à la vérité de la poésie.

Nous logions, père et moi, au plus épais de la forêt, dans une cabane de billes érigée ci-devant le grand hêtre. Père avait formé de ses mains cette résidence rustique et tous ses accompagnements. Rien n'y manquait : depuis l'eau de pluie amassée dans la barrique pour nos bouillades et mes plongements, jusqu'à l'âtre pour la rissole du cuissot et l'échauffage de nos membres aux rudes temps des frimasseries. Il y avait aussi nos paillasses, la table, une paire de taboureaux, et puis encore l'alambic de l'officine, où père s'affairait à extraire, des branchottes et fruits du genièvre avoisinant, une eau-de-vie costaude et grandement combustible.

Pour nous repaître, nous prenions le poisson de l'étang ou boutions hors tanières et abris toutes bêtes nourricières : garennes, gélinots, chipmonques, casteurs, putois, ratons et chevrillards. Le reste de notre pâture se composait surtout de thé de dalibarde, d'œufs de merles et de sarcelles, de marasmes, de racines et de baies, de souricelles assommées par nos soins et de rapaces doctement bombardés de pierrettes, ou percés de nos flèches.

Père possédait toutes sciences. Notions et lumières siégeaient sous son casque. Il concevait que Terre est plate, qu'elle stationne au milieu des cieux et que les astres tournoient à l'entour tel le chien ancré au pieu. Que la déesse Lune assure le salut de toutes choses vives: bestieuses, végéteuses et humaines. Que maux de corps se soignent par saignées et autres secours modernes. Que le cauchemar engouffre la cervelle par les esgourdes. Père traduisait aussi les allées et venues de l'air: par simple grimpement aux arbres il étudiait au loin le progrès de la bourrasque ou du cyclone cheminant vers nous, et augurait ainsi de notre péril ou de notre quiétude. Boussole et instruments paraissaient tenir en son pied, aussi savait-il circuler sous arbres et sur sentes sans entraves ni déroutements. Il pénétrait le sens des astres et des étoiles, et détenait le don de leur lecture. Aussi, par soirs, il m'arrivait, quand il lorgnait la voûte, de le questionner sur ma destinée. Telle était ma voix: «Père, que distingues-tu cette nuit de ce qu'il en sera de moi?» Mais père n'était pas parleur.

Dès mon âge le plus vert, il m'avait instruit de tout: comment prendre le poisson, démêler la voix de la bête, talonner le gibier, découper le bif, rissoler le cuissot, tailler en billettes l'arbre abattu, apprêter le crevard de mouffeton, sauter la russule et autres champignes, recouvrer levant et ponant, circuler noctantement, coudre l'accoutre, étriper le chevrillard et même juguler la vipère qui se faufilait dans nos godillots laissés le soir sur le seuil.

Malgré qu'il fût gorgé d'entendement et qu'il eût pu aisément susciter amples égards, père goûtait une existence coite et quasiment solitaire. J'étais, en fait, la seule humanité autorisée d'avoisinance en ses parages. Ainsi coulaient ses jours, distants de tout commerce avec les gens, bourgeois ou créatures, qu'il qualifiait souventes fois de « racaille », de « marauds », de « pendards », de « faquins » et de « gueux ». Détournant volontiers sa face de la foule, il rebroussait toujours à la forêt, qui lui fournissait bien suffisamment tous asiles, pâtures et combustibles nécessaires. Préférablement au discours, il élisait les criailleries des bêtes, les bruissements de la bise dans les branchottes, les craquements des arbres pourris ou tordus, et même le tonnement terrible du grain quand il crève.

Non, père n'était pas parleur. Sauf quand il palabrait avec ses gens, ainsi que je le narrerai à présent, Monsieur le juge. Car s'il me faut aujourd'hui tourner pour vous les pages de mon existence, il me faudra aussi, par même occasion et pour mieux traduire mon récit, ouvrir le livre de la vie de père, si étroitement emmaillotée à la mienne. Cela afin de vous instruire meilleurement des circonstances où je fus conduit à achever mon prochain, puis enseigné de vocabulaire et, enfin, mené ci-devant vous et les membres de ce tribuneau pour trancher mon cas.

Père était fort charnu. Par tous horizons, on n'avait jamais vu bourgeois aussi muscleux. Mais ce qui me laissait le plus étonné était surtout la puissance et le nerf séjournant en ses chairs. Pour exemple, je dépeindrai premièrement un ouvrage des plus curieux que père accomplit une fois. Par jour de grandes gelures, je le vis se fabriquer mitaines de cette manière : fourrant le bras en une tanière, il grippa coup sur coup une paire de marmottes ventrues et enroupillées. Les assommant par suite du marteau de son poing, il entreprit bientôt de les fendre, puis de les évider. Une fois ce videment accompli à l'aide de ses seuls doigts, père se para les mains des dépouilles, et poursuivit son cours, les paumes bien au chaud maintenant.

Quant aux jambes de père, c'était équivalence de cuissots de rossinant par musclure aussi bien que par endurance à la course. Aussi, nul bourgeois ne pourchassait la bête mieux que lui, ni ne s'esquivait avec plus d'allure lorsque le cyclone menaçait. Son pied aussi impressionnait par sa surdimension. Quand père avançait sur sente de son marcher appesanti, la fourmi tressautait, le chipmonque chutait de sa branchotte, la chenillette là-haut aussi se décrochait de son feuillage et, en leur trou, garennes, marmottes, ratons et belets recevaient plafond sur le casque. Bref, en toutes portions de sa personne, père était important.

Mais ce corps, quoique baraqué, souffrait en sa partie la plus élevée et souventes fois la plus utile, le casque, d'un trouble étrange : lorsqu'il était entièrement éveillé et même affairé à besognes, père recevait parfois en rêvement la visite de gens qui lui faisaient la conversation, à laquelle il rétorquait avec des mots que je ne lui connaissais guère coutumièrement. Plus alarmants étaient les grognements, gesticulades et agitations de démoniaque accompagnant alors son parler. Mais le pire résidait ailleurs. En effet, les gens de père, quand ils s'emparaient de lui, le forçaient aux actes et missions les plus insensés. Père, comme sous l'empire de quelque magie désastreuse, formait dès lors l'ambition d'exaucer ses gens, ce qui le menait, Monsieur le juge, au-delà des limites raisonnables de l'agissement humain. Forcé à mon tour par père d'agir à ses côtés comme second, j'ai plus d'une fois risqué ma vie en ces équipées, comme vous le concevrez bientôt par mon histoire.

Ça lui était venu, la première fois, dans les heures où mère nous quitta. Ma naissance terminée, mère commença à mourir sur la paillasse, car je lui avais donné ample fil à retordre avant que d'aboutir ici-bas. Père, cependant, avait attendu à l'extérieur de la cabane que mère mette bas, profitant des bonnes heures du jour pour éviscérer un chevrillard achevé par haut matin. Tandis que, né, je hurlai, père entra, me saisit entre ses bras muscleux et me mena bien vite devant l'âtre crépitant. Mère, de son côté, nous quittait si silencieusement que père ne s'avisa de rien. Ce n'est que lorsqu'il me ramena sur paillasse enaccoutré de ma défroque nouvelle et qu'il se tourna finalement vers sa compagne qu'il nota : mère, qu'il adorait telle une pierrette rarissime, avait rendu l'âme.

Ce fut un moment terrible. Chaque bête ou insecte terré en la forêt eût assurément le cœur cassé en escoutant le pleur déversé par père devant la cabane, sans compter ses plaintes et hurlades, répandues bien au-delà du grand hêtre. « Pourquoi ? Pourquoi ? » criaillait-il, pleuroyant, son gros poing rossant une bille, son pied infligeant savates et coups divers aux arbres à l'entour. Mais ni bête, ni végétation, ni pierraille, ni la déesse Lune elle-même ne pouvaient trouver répons à cette question.

Ce même jour, tandis que le soleil finissait son déroulement en cieux, père, vaincu, vidangé de ses larmes, empoigna son herminette et commença d'usiner quelques planches. Il en forma une bière à dimension de mère puis, saisissant celle-ci une finale fois en ses bras, la déposa doucettement en cercueil. Enfin, portant sur échine mère emboîtée dans ce couche-mort, il chemina en forêt jusqu'au pied de la grande pruche, ainsi que j'en fus instruit bien après. Juste ci-dessous, de ses grosses mains, père approfondit un trou, qui accueillit bientôt mère en son repos durable. Par suite il rebroussa à la cabane, me trouvant bien établi sur paillasse et attendant sagement de prendre repas.

L'œil encore rougi, père se mit à la tâche de me repaître. Je le vis sortir un moment, puis rebrousser bientôt avec le cadavre d'un hérisson femelle, dont il tira un peu de lait. Ce fut ma première pitance sur le domaine de la Terre : le lait d'une bête morte, achevée par père. Ce fut par même occasion ma première encontre véritable avec la mort, véritable en ce que j'en fus pénétré, puis nourri. Toute ma vie, cela devait me rester inscrit au ventre : par là le trépas avait tracé sa sente en ma personne, comme mots se formant et s'alignant sur la page. Cependant j'avalai cette pâture avec enthousiasme, ne soupçonnant pas de suite ce qui me guettait ici-bas, tout ce dont je pâtirais, avant peu, auprès de père.

Cela n'allait plus traîner.

Après l'enfouir de mère et mon breuvement de lait, père, moulu par le chagrin, s'allongea pour la nuit, non sans avoir bien refait le capiton de ma propre paillasse et établi ci-dessus. C'est à l'aube suivante que ses gens parurent en son casque pour la première fois. Après déjeuner, à peine avions-nous avalé le gruau de joubarde que voilà père qui gesticule et commence de se débattre avec ses visiteurs cependant aussi invisibles que pet de mosquite. Ça dure, ça dure, la sueur ruisselle sous la liquette de père, car il arpente la cabane, et s'agite, et grogne, et semonce, et rouspète, et menace ses gens. Puis vient un moment d'acalmette, et père s'établit sur le tabouréau. Sa conversation, toutefois, persévère. Quoique fort vert, j'avais déjà l'œil ouvert et l'aptitude agile. Aussi traduisis-je vitement le sens de cette émeute : quelque part sur le chemin séparant la tombe de mère et le seuil de la cabane, père avait égaré l'entendement. On mesurera mieux ceci quand j'aurai dépeint la mission que ses gens lui imposèrent alors, et dont je fus l'ingrédient dominant.

S'emparant de ma personne, père me mena par-delà la forêt jusqu'au champ de monsieur Ronce, où se trouvait un trou de marmotte peu aprofond. J'y fus enfourné puis laissé à moisir, séjournant là pour l'équivalence d'une course de soleil, pleuroyant extrêmement de désarroi, de soifs et d'appétits. Caillasses me griffaient l'échine. Poussiers et sables m'emplissaient esgourde, œil et bouche. Paille se tissait à ma maigriotte chevelure. Larves de hannetons chutaient du plafond et m'atterrissaient sur cuissots, sur estomac et sur face. Et fourmis, et lombrics, et sauteclimacie grouillaient et sautillaient formidablement à l'entour et sous ma défroque. Nul bourgeois, nulle créature ne vint cependant à mon aide, mon gémissement de chose faible n'atteignant sans doute même pas leurs esgourdes. Une marmotte parut toutefois, d'abord fort intriguée de ma présence en son logement, mais se désintéressant bientôt de la question et s'établissant même sur un bout de mon accoutre pour son roupil. Nous restâmes ainsi long de temps, tapis et réciproquement échauffés. Réfugié de la sorte, je sentis le calme rebrousser un brin en mes chairs. Je stationnai mon blair contre celui, doux et chaud, de l'animal.

Le balancement délassé de son souffle me ramenait le ressouvenir du ventre de mère, et je commençai à songer à elle, allongée durablement en sa bière. Malgré qu'elle fût morte et moi vif, je m'avisai que nous étions chacun en semblables situations, reposant sous le monde et en quelque manière retranchés de lui, chacun de son côté aux confins de la vie. Peut-être, si nous avions été instruits de la façon d'accomplir une telle chose, aurions-nous pu à ce moment nous rejoindre et nous sourire aimablement. Ce penser m'en amenait un autre, que je remâchais ainsi : qui sait si les macchabées ne rebroussent pas à leur façon en pays de commencements, tels les petits d'humains en état de première verdeur ? Et qui sait si les nouvellement-nés n'ont pas, amassée en leur besace intérieure, toute une vie par-devers eux ? Car telle est l'outre-vie : emplie de devinettes et d'inexplicabletés.

Parfois, le roupil de la marmotte paraissait troublé de rêvements effrayants, et l'animal alors se blottissait davantage contre ma personne, comme pour y trouver renforts. Il arrivait aussi que, mon hôte bronchant en son roupillement, l'une de ses pattes se pose doucettement sur ma face, ou sur mon bras, semblablement à la main d'un compagnon bienveillant. Ainsi avons-nous, au plus épais de ce trou, fait échange de secours. Et tandis que les durées coulaient, je songeais que ma destinée était peut-être davantage de vivre comme les bêtes, à tout le moins parmi elles, plutôt qu'en humanité affairée, et tracassée, et sourde à mon gémissement souterrain. Rappelant en mon casque ces événements, je m'instruis aujourd'hui seulement que ce fut là, dans ce trou, que je reçus les témoignages de chérissement les plus prolongés. J'observe aussi que cette marmotte-là me prodigua davantage de chaleur et de rescousse que père ne m'en offrit de toute sa vie.

Car père revint enfin me désenfourner de là.

Juste avant, le soleil concluait sa course, et je commençais à concevoir ma mort prochement. « J'aurai donc résidé ici-bas le temps d'un jour » me disais-je, toisant par l'entrée du trou un pâle agroupement d'étoiles. Je chassai une fourmi de ma face, pris en ma main une patte de la marmotte, baissai paupières et me préparai à mourir. Il me semblait être déjà à demi en l'outre-monde lorsque je perçus, au-dehors, le marcher fruste de père. Levant l'œil, je vis son godillot paraître, puis bientôt la face entière de père emplir l'ouverture. Je fus à la fin extrait sans ménagement de mon gîte et emporté sous les astres.

Le sort l'avait voulu ainsi : j'étais rebroussé parmi les vifs. Établi sur l'échine de père ainsi qu'une hotte emplie de tubéreuses, ma face tournée vers le champ de monsieur Ronce, je vis s'évanouir dans la nuit la première résidence digne de ce nom que j'eus en l'ici-bas et, surtout, le seul ami véritable que je coudoyai jamais.

Des époques coulèrent. Les gens de père allaient et venaient, emplissant son casque parfois pendant de longues durées, s'enfuyant ensuite comme filous, puis rebroussant encore et le possédant tel un enchaîné. Mon premier âge fut ainsi marqué par les démences répétées de père, auxquelles j'étais toujours fâcheusement associé. Encore trop frais d'âge pour le questionner sur le sens de ses actions, je le suivais sans rouspète dans les tâches prescrites par ses gens. Combien de fois fus-je houspillé, affamé, appendu, enseveli, livré à termitières ou établi sur guêpière, enduit de miellée puis offert à fourmis, ficelé à branchotte puis donné pour pâture à chenillette et quasiment noyé sous l'étang ? Combien de fois ? C'est là calculement trop extravagant pour mon casque si peu aguerri aux nombres. Mais je conserve de tout cela le sentiment d'un attentat ineffaçable.

Néanmoins, malgré la fragilité de mon extrême verdeur, je surdurai à cette période. J'abordais à présent l'âge tendre des jouvenceaux, les joues piquées de roussi et la tête encore boursouflée de canailleries. Mon rôle dans les missions démentielles de père n'en fut pas moins notable. Sans doute même y fus-je encore davantage l'objet de rudesses.

J'ai pour exemple ressouvenir d'une folie de père qui me laissa fort secoué. Je terminais ce jour-là, ci-dessous le grand hêtre, le grillement d'une brochette de souricelles. Père, qui jusqu'alors s'affairait à fendre billettes, se montra bientôt à mon abord avec l'œil bileux, le nerf tendu et le cheveu hargneux du possédé. Nul doute : ses gens lui revenaient. Sa voix fut rude et commandeuse : « Parnoir ! Fils ! J'ai faim ! Sers-moi donc sur l'heure de cette viande-là ! » Mon rétorque fut à peu près ainsi : « Mais, Père, c'est que je mijotai cette pitance pour mon usage personnel, sans songer que tu y poserais la lippe. Aussi y mis-je quantité d'assaison d'herbe-aux-rats, que je goûte fort, mais qui d'ordinaire te fait venir, à toi, pustules et boutons variés ! Mais si tel est ton souhait d'avaler un peu de chair, laisse-moi assommer de mon godillot quelques-unes des souricelles qui circulent en notre cabane. Je te les embrocherai vitement et te les grillerai à ta satisfaction. »

Ce répons ne trouva pas chez lui bon escouteur. Père me saisit au col et entreprit de me juguler, menaçant de me faire égarer le souffle, l'aplomb et quasiment la vie. Mon esgourde demeurant toutefois assez vive, j'entendis ces mots prononcés pour moi par père, comme pierrailles fracassées sous outil : « J'ai dit : j'ai faim ! Donne-moi de ce repas ! » Puis il défit lentement l'étau de ses doigts et me rendit à la vie. Trembleur, je fis ce qu'il attendait. Père empoigna la brochette, s'établit sur le sol, puis se mit la première souricelle sous la dent. Ça ne lui était pas encore passé dans le gosier que boutons commencèrent à lui tapisser la face et les mains.

« Diablerie et grain d'orage ! » fit-il aussitôt, jetant prestement au feu le reste de sa pitance. Piqué, saisi par extrêmes fâcheries, il se dresse alors, vient me gripper par l'épaule et m'entraîne fort mauvaisement vers la barrique. Nous y sommes. « Vide cette tonne ! » criaille-t-il. Et me voilà renversant la barrique et déversant sur la terre toutes les pluies amassées ci-dedans depuis lunes et soleils. Quand c'est accompli, père me commande de le talonner sur la sente et de transporter par-devers moi la barrique.

Nous circulons en forêt long de temps, silencieux de voix, mais bruiteurs de pas. La plainte de la barrique aussi, roulée par mes soins, résonne sourdement sur la terre et trouble le roupil des bêtes. Les moins trembleuses d'entre elles sortent de leur trou et viennent nous regarder passer. Muffles et moustaches s'agitent derrière les fougères. Des oiseaux aussi passent, tournoient, baissent l'œil un instant sur nous, puis poursuivent leur chemin.

Nous touchons enfin le pied du mont Tondu. C'est une colline s'élevant à moyenne distance de la cabane, et dont le flanc et le sommet caillouteux ne laissent croître que pieds d'aubépines, prêles, mousses et lycopodes, d'où son nom. Rompant son silence, père dit avec grondements dans les mots : « Maintenant, hisse la tonne tout là-haut ! » Et me voilà grimpant le mont Tondu, poussant puis tirant la barrique, peinant, bandant mes vertes musclures, poussant exclamations multiples, suant sels, et eaux, et poivres de corps, manquant mourir de pénuries à chaque pas. Maintes fois, arrivé au bout de mon nerf, dus-je lâcher mon bagage, le laisser dégringoler et m'en aller le reprendre au pied de la colline puis recommencer, débravouré, mon grimpement. Père, cependant, stationnait non loin et posait le regard sur tout cela, sans broncher.

Je parvins à la fin à m'établir sur le sommet du mont Tondu. Père vint m'y trouver. Malgré que le jour fût d'abondance chauffé par le soleil, je frémissais de tous mes membres. Qu'allait donc ordonner père à présent ? À quelle terriblerie étais-je promis ? Je le sus bientôt.

« Faufile ta personne en barrique ! » fit-il. Je pressentis ma fin venir. Espérant survenue de miracle, je me glissai soumisement dans la tonne. Une fois emménagé ci-dedans, je fermai l'œil, me recroquevillai tel un pré-jouvenceau en ventre de mère, et patientai. Mon moisissement fut courtaud. Car je sentis presque aussitôt la barrique se coucher, puis commencer à rouler, puis dégringoler franchement le flanc du mont Tondu. Père venait de m'y lâcher.

Je culbutai, Monsieur le juge, comme culbute la pierraille s'éboulant aux reins des montagnes : ma chute fut vive, compliquée et sans ménagement. J'allai, à sa fin, emboutir une épinette robuste, et même inébranlable, et fort mal située sur mon trajet. Quoique sonné, je sortis de cette expérience indemne, et la barrique aussi. Père vint à moi, l'air toujours aussi cassant, et me fit ce discours : « À présent, rebroussons à la cabane ! Et rapporte avec toi cette tonne ! Elle est de grand usage par temps d'averses ! »

Le soir avançait quand nous foulâmes enfin notre seuil. Je m'écroulai sur ma paillasse sans même avaler pitance, et commençai à roupiller sur l'instant, tant était grande ma débilité. Je n'eus point de rêvements cette nuit-là, mon casque s'affairant sans doute à besognes plus urgentes : replâtrage d'entendement, ressemelage de notions, raccommodage de lumières et remises en état semblables.

L'aube se forma. Je fus extrait de roupil par le bruit de l'herminette fendant le bois. Je m'en fus trouver père. J'eus vite fait de traduire, à son œil redevenu coi, que ses gens l'avaient à présent déserté. J'observai aussi que boutons ne séjournaient plus en sa face. Père, cependant, ne faisait nul cas de ma présence, et continuait son ouvrage. Je le questionnai enfin : « Mais, père, me diras-tu : pourquoi ce supplice que tu m'infligeas au mont Tondu ? » Des billettes furent encore ouvertes. Un oiseau trilla. Une vipère glissa entre les lycopodes. Puis les cieux quittèrent pour de bon leur accoutre de nuit, et le soleil coupa, du tranchant de ses rayons obliques, la forêt de l'à l'entour.

« Ta mère avait grand talent de cuisineuse. Jamais n'aurait-elle mis en notre pitance assaisons inappropriés. Puisse ton étourderie, punie par celle que tu vécus en éboulis de barrique, te rappeler cela. »

Ainsi parla-t-il.

Par soirs d'étés, après avoir grillé puis bien avalé le bif de putois ou le gâteau de rognons, père s'établissait ci-dessous le grand hêtre auprès du feu et commençait à tisonner pensivement. Je l'y accompagnais. Levant parfois le regard, nous toisions le sommet des arbres se fondre peu à peu à la nuit. Puis les astres venaient, éclairant de leur mèche cieux et étendues, instruisant de leur boussole, peut-être, quelque marcheur égaré.

Nous restions le plus souvent, alors, la lippe close. Pour moi, ce n'était pas que je fusse dépourvu de choses sur lesquelles discourir. Simplement, lorsqu'il mûrissait en ma glotte, mon discours stoppait sa course et refusait d'aller plus avant, puis de fleurir sur le terrain de ma langue. Car j'étais pauvre de vocabulaire, aussi pauvre que le foin aux heures enfuies de l'été : sec et vidé de sa céréale. Aussi fus-je ressemblant, ces soirs-là, au hibou en sa nuit noire, préférant le silence des ombres au bruit âpre des maigres paroles. On eût dit que j'attendais, que j'attendais d'être instruit de vocabulaire, comme si je savais déjà que le jour viendrait où les choses et le monde trouveraient en ma bouche plus amples traductions.

Qui sait ce que père, lui, devant notre feu, méditait et se retenait de dire ?

Et ainsi de la course de notre existence à la cabane. Chaque jour nouveau nous voyait assommer bêtes comestibles, prendre poisson, quérir dans les nids œufs d'oiseaux, tisser fibres pour notre vêtir, coudre godillots et pelisses, et accomplir toutes tâches ressemblantes. Lunes et soleils se succédaient, arrière-saisons venaient et repartaient, époques et âges mêmement, et des laps, et des durées, et du temps coulaient encore.

J'arrivais à l'ère du mi-temps de la vie. Et père aussi avançait en âges. « Comme le temps coule ! mâchais-je parfois. Voilà père mûrissant formidablement, blanc de cheveux, un brin courbé d'échine et flétri de peau, quoique encore gaillard et sans cesse visité par ses gens, et toujours à palabrer avec eux. » J'avais moi aussi fort profité, quitté depuis jolie lurette les premières verdeurs et atteint une gaillarderie extrême. Je pouvais aisément, à présent, enlacer le grand hêtre. Quoique moins dégourdi et moins empli de science que père, j'étais adroit à toutes besognes. Père me confiait ainsi souventes fois mission d'aller chasser de mes flèches toute bête à la chair utile à notre pitance du soir. J'allais pareillement grimper aux branches pour y chouraver les œufs et, à l'étang, j'enfonçais ma pique dans le poisson-chat. J'usinais toutes choses de mes mains : outils, planches, mobilier, défroques, machins. Bref, c'en était fait de mes époques d'enfance et de leur insuffisance. J'étais entré, désormais, en carrière humaine.

Sous belle saison, quand le soir détrônait le soleil, les mouches-de-feu s'emparaient de la forêt. Le chant des crapauds parvenait à notre seuil. Venue du pays, on entendait dans les lointains la bise s'avancer, jusqu'à faire broncher le sommet des grands arbres. Par nuit aprofonde, la déesse Lune montait à l'azur. Parfois, aussi, la bise singeait une voix et parvenait à mon esgourde, serinant ce discours : « Qui es-tu ? Qui es-tu ? » Puis on démêlait le heurt des ailes du hibou qui décampait, une souricelle dans le bec.

« Qui es-tu ? Qui es-tu ? » bruissait la nuit.

Et qui étais-je, en effet ? Moi, qui roupillais aisément sous étoiles, qui ne se lassais guère du frémissement des choses. Et je songeais encore : « Quel est ce bourgeois gîtant au creux de mes chairs et se sentant chez lui sous les arbres, sous l'azur, parmi les bêtes ? » Par nuits, quand nous restions à échauffer nos membres auprès du feu, il m'arrivait de m'ouvrir à père de ces pensers, et d'autres encore. Tel était mon dire : « Père, toi qui vécus, dis-moi : sous cieux et sur Terre, qui sommes-nous véritablement ? Oui, quelle sorte de bête est donc l'humanité ? Et d'où vient que, lorsque les soirs paraissent, notre casque s'embue de la songerie de ces choses-là, ci-devant l'immensité nombreuse des astres en cieux ? »

Mais c'était langage ignoré de père. Aussitôt que je terminais mon discours, il se désintéressait des flammes, allongeait sa personne sur la fougère et baissait paupières. Son rétorque était ainsi : « Demain, il nous faudra chasser puis étriper chevrillards. Nous aurons ample besoin de forces. Aussi, voici venue l'heure du roupil. Adieu donc, Fils ! »

Car père n'était pas songeur.

Il était terrifié par le trépas. Le seul penser qu'il allait un jour rendre l'âme lui inspirait frissons et saisissements extraordinaires. Aussi père usait-il d'un étrange manège pour retarder le moment de sa transformation en cadavre : il dévorait chaque jour quantité de viandes grasses et de lard nouveau. « Il faut que le corps s'engraisse, Fils ! Parnoir ! Le trépas s'intéresse-t-il aux mangeurs et aux pansus ? Jamais ! »

Tel était son entendement. Moi, il me paraissait que le mourir n'était pas si grand malheur. Le pire, pour les péris, devait être de se résigner à ne plus résider en l'ici-bas, à ne plus entendre le doux bruissement des choses vives. Pour sûr, je concevais qu'aux premiers moments coulés dans le trépas, la frisquetterie devait être un brin trop forte. Mais après, chaleurs devaient assurément rebrousser, et avec elles, apaisements. Au bout d'une durée on devait s'habituer, s'habituer à tout.

Un jour, père s'instruisit que je pouvais lorgner les défunts. Mais on pourrait dire aussi que c'est moi qui traduisis que lui ne le pouvait pas. Depuis que j'étais sorti de mère et que j'avais commencé à voir le jour, j'avais conçu que tous, bourgeois, créatures, jouvenceaux et mêmement bêtes, oiseaux et poissons, étaient dotés de cette faculté. Ce jour-là, père me fit voir qu'il n'en était rien.

Nous étions grimpés sur le toit, affairés à rétablir le couvert de la cabane qui gouttait, lorsque j'aperçus mère, venant à moi en silence, comme il est coutume pour les morts. Parvenue à mon abord, elle s'assied sur les billes et m'examine avec bonté. Peut-être afin de m'accorder le plus possible au mutisme des défunts, j'avais adopté la règle de ne prononcer que peu de paroles en leur présence. Simplement, quand ils paraissaient, je poursuivais ma besogne du moment et me contentais d'aller et venir à l'entour d'eux, jusqu'à ce qu'ils se décident à rebrousser en l'outre-monde.

Mère, comme toujours depuis son trépas, et pareillement à tous macchabées, paraissait attristée. Je m'approchai et vint poser ma main sur son épaule, effleurant le tissu de son accoutre. Père, pendant ce temps, cognait avec la mailloche sur les billes. Interrompant subitement son labeur, il m'aperçut dévisager le vide et former des gestes apparemment insensés. Il m'entendit même bruire ces mots : « Qu'as-tu donc, petite Mère ? Tu parais toujours si désolée depuis ton passage chez l'outre-peuple ! Dis-moi : pourquoi donc les morts affichent-ils tous pareille mélancole ? » Il en éprouva quelque trouble.

Tel fut son langage, émis d'une voix menaçante : « Avec qui donc devises-tu de la sorte, Fils ? Le Diable ? Et pour qui sont ces mouvements de mains que tu élucubres là ? Égarerais-tu l'entendement ? » Me tournant vers lui, je déclarai : « Mais, Père, ne vois-tu pas que mère pâtit de tristesse ? » Dans la seconde, sa face blafardit, sa chevelure se hérissa. La mailloche lui échappa des mains et s'en alla rouler tout du long du couvert, jusqu'à dégringoler dans la barrique. Père chancela, égara le pied, s'écroula, puis commença à rouler sur les billes. Mère et moi le vîmes quitter le domaine sûr du toit, effectuer un vol lourdaud et choir sur un lit de lycopodes. Je me précipitai à sa suite, non sans user de l'échelle.

Je dus, pour le ranimer, lui mettre sur face nombre d'écuelles d'eau frisquette et améliorée de poivre de bazzanie. Vint le temps où il émergea. Aussitôt son sens reconquis, il me grippa par l'encolure et m'interrogea en ces mots : « Ai-je ouï correctement, Fils ? Parbleu ! Tu vois les macchabées ? » Je lui fis ce rétorque : « Mais, Père, n'en est-il pas de même pour toute personne pourvue de sens ? Oui, je vois les défunts, qui me visitent assidûment. Ne les toises-tu pas aussi ? Ce n'est là que banalité. Pourquoi t'alarmer comme si putois te pourchassait ? »

De son côté, mère descendit doucettement du couvert, me mit une dernière fois caresse sur joue et s'estompa en silence entre les taillis, une petite lueur bleutée emmaillotant sa frêle personne.

« Mais que vois-tu de ce monde-là, que vois-tu ? Des cadavres ? Des squelets ? Les feux de l'enfer ? Des vapeurs ? Des monstrueux ? » Blême d'épouvante, père me chauffait de questions. Concevant soudainement qu'il n'entendait rien aux choses outre-terrestres, j'entrepris de l'en instruire, au mieux de ma compétence. « À dire vrai, j'y distingue peu de choses, commençai-je. Puisque ce sont les trépassés qui nous côtoient et non l'inverse, je n'aperçois jamais que leurs personnes, et pas du tout la contrée en laquelle ils circulent. Aussi ne connais-je rien de leur logement, ni non plus de leurs paysages. Chacun porte à son entour une lueur bleutée, ce qui permet à coup sûr de le démêler de nous, les vifs. Tous vont dans le mutisme le plus entier, sans doute parce qu'il en est ainsi en outre-monde : en ces parages, peut-on imaginer l'oiseau triller, la branchotte craqueler, la vache meugler, la cloche tinter ? Assurément, non. C'est le trépas, quoi. Et puis, tous affichent triste mine, dont je ne saurais traduire la cause. Je me prends souventes fois à méditer cela. Telle est ma songerie : "Quelles sont les raisons de cette chagrinerie-là ? Pourquoi cette dépression sur la face de mère, et aussi sur celle de ses semblables défunts ?" C'est là matière que je mâche toujours. Mais j'ai beau fouir en tous coins de mon casque, rien n'y luit. Car, enfin, pour les péris, la mort ne semble pas si détestable : on y va et vient aisément, on y coudoie aimablement, sans doute, d'autres défunts. On rebrousse même parfois parmi les vifs afin de visitement. Et puis, en outre-vie, les embarras coutumiers à l'ici-bas ne paraissent plus exister. Gripperie, accès, branle-à-bas d'estomac, souffrance de molaire, épanchement de blair, brisure de cheville et autres fâcheries ne sont plus que misérables ressouvenirs, ce me semble. En somme, le trépas ne se montre réellement contrariant que pour les vifs qui surdurent aux défunts et qui ont connu pour eux quelque sentiment. Car, n'est-ce pas, nous ne pouvons, le plus souvent, talonner nos aimés en contrée de mort. Alors quoi ? Quelle est donc la cause de la désole des outrepassés ? Oui, plus je me creuse le casque, moins la lumière y débouche. Je ne traduis rien de l'abattement des morts. »

Père atteignait l'effarement. Appliquant les mains sur les flancs de son casque tels des bouchons, il s'exprima ainsi : « Tais-toi, Fils ! Mes esgourdes n'en peuvent plus ! J'ignore qui t'as accordé cette faculté, mais que je t'avise : ne fais plus jamais mention de ces choses abominables ci-devant moi ! » Puis, arc et flèches en échine, il s'en fut vitement sur la sente, feignant l'urgence de quelque chasse.

Je cessai donc – mais pour un temps seulement, ainsi que vous le verrez, Monsieur le juge – de l'entretenir de cette matière. Je continuai toutefois à recevoir répétitivement la visite de mère et d'autres défunts, souventes fois même sous les propres yeux de père, mais sans que celui-ci le suspecte jamais. Car père était fort affairé à ne pas expirer.

Je crus pendant longues époques que père n'était effrayé que par la mort. Or, il arriva une fois que je pus mesurer qu'une autre peur le gardait sous son empire. Père tremblait en effet des mouvements inconsidérés de l'air, et s'alarmait maximalement dès lors que le grain crevait. Quand le cyclone menaçait, père égarait ainsi toute hardiesse, et s'enfuyait jambes à son col afin d'échapper à la colère des cieux.

Ce fut un de ces jours de courroux aérien. Par haut matin, nous fûmes tirés de notre roupil par le toquement du vent contre notre fenêtre, par les craqueries répétées des billes de la cabane et par la secouade de notre porte semblablement heurtée. Lorsque nous accourûmes à la vitre afin de traduire ce branle-à-bas, nous vîmes les herbes couchées par les vents puissants, et les branches des arbres ployant sous l'attaque, et mêmement plusieurs casser et partir en vol sans toucher le sol avant longs parcoursements. Les oiseaux aussi luttaient contre l'air rageur et, s'obstinant pour la plupart à lui faire face, volaient cependant à reculons, emportés à leur tour comme les branches de tantôt. C'était comme si la patinoire de l'air sur laquelle tous glissaient coutumièrement s'était établie ce matin deboutement, et formait à présent un mur vivant, forçant son avancée sur le monde au mépris de ses habitants, de ses reliefs.

Le sang de père se figea, sa chevelure se dressa, et son corps tout entier fut en un instant comme frappé de stupeur. Il eut alors cette parole, bizarrement rendue d'une voix à la fois trembleuse et catégorique: « Fichtrons le camp, Fils ! Voici que cieux et mondes se fâchent ! » Je m'élançai dès lors pour le retenir, car il s'apprêtait déjà à ouvrir la porte et à se jeter en pâture au cyclone. Mon rétorque fut preste: « Retiens ton pas, Père ! Car, enfin, où irions-nous dans ces turbulences ? À levant ? À ponant ? À sud, à nord ? Sous pareille ouragane, nous ne tiendrions nulle part, et serions bien vite transportés ainsi que ces oiseaux: avançant reculoirement et ne menant nos personnes qu'à rebours. Nous ne serions que jouets de bourrasque, et risquerions, plutôt que de sauver nos vies, d'en achever le cours. Car les vents, assurément, ignoreront nos corps gaillards et nous traiteront ainsi que brins et autres légèretés: ils n'hésiteront pas à projeter nos personnes sur les arbres, ou sur les rochers, ou sur tout obstacle se dressant en notre route, nous fracassant et surbrisant les os. Est-ce là ce que tu ambitionnes ? »

Je vis son œil s'assombrir, la sueur former ruisselets sur sa face, sa mâchoire se crisper, les musclures de son col se tendre comme l'arc. Sa denture, aussi, crissa, comme lorsqu'on gratte le grès vernis avec la pointe du coutelas. Sa voix grimpa, et forma ceci : « Alors, demeurons ! Demeurons et prions ! Prions la déesse Lune, Fils ! Sans quoi je ne donne pas cher de notre peau ! » Puis, pleuroyant d'effroi, il se jette à genoux, joint les mains, entremêle les doigts et commence invocations, appels, cloches et trompes.

Il resta prieur et frissonnant pendant un court laps. Puis, comme saisi, sa face s'éclaira soudainement et je le vis se remettre sur ses jambes, en proie manifestement à quelque vive émeute. Simagrées et contorsions le tordirent bientôt. Nul doute : ses gens lui faisaient visitement. Le voilà par suite qui file en l'officine et en rebrousse aussitôt avec une cruche d'eau-de-genièvre sous le bras. « Saisis le grelin et talonne-moi, Fils ! » me dit-il, me grippant l'épaule.

Bravant la bourrasque, esquivant de mon mieux branches, matières, volatiles et même chipmonques poussés par les vents, je mis mes pas dans les siens jusque ci-dessous le grand bouleau croissant non loin de chez nous. Parvenu là, stupeur ! Je l'entends me commander de ficeler sa personne au tronc de l'arbre ! Ses gens n'avaient donc ni pitié ni sens ? Nul moyen pour moi de protester : déjà père s'établissait contre l'écorce et attendait que je l'y fixe. Le cyclone, du reste, couvrait ma voix et m'interdisait de répliquer, et la bousculade incohérente de toutes choses à l'entour forçait à l'action, non aux palabres. L'esgourde pleine de la dispute des vents, j'attachai donc solidement au tronc toutes parties de père, non sans m'être auparavant assuré que la liane qui me servait de grelin résisterait à la puissance de sa musclure. Futile souci : père se laissait brider telle la caille éviscérée avant la grillade. Une fois cette ligote bien exécutée, père, désignant à ses pieds la cruche de tord-boyaux, me criailla ces paroles à faire dresser chevelure : « Et maintenant, Fils, jette en quantité sur le sol, en cercle autour de moi, de cette eau-de-genièvre ! » Des tressaillements me parcoururent. Quelle folie nouvelle père projetait-il donc ? J'exécutai cependant son mandement, sachant fort bien que toute opposition ne me vaudrait que claques au casque, enfermements, privations de soupiasse et autres détriments. Je vidangeai la cruche autour du grand bouleau. Puis vinrent de la lippe de père les mots que je redoutais : « Parnoir ! À présent, course à la cabane, saisis-y vite le feu, et viens le répandre sur la terre mouillée de cette gnôle ! » Docile tel le chien de compagnie, je rebroussai donc à l'âtre, y cueillis un tison et, reparvenu au grand bouleau, mis le feu à son pied. La hargne des vents fit bientôt et vitement gonfler la flamme.

Sitôt le liquide enflammé, je vis ce spectacle affligeant : père léché par le feu, évacuant de son corps multiples sueurs, sa face exécutant abondance de grimaces ! Car, assurément, l'enfer n'était pas moins échauffé. Cependant, hormis simagrées et sudations, père subissait ce supplice sans broncher, apparemment sans se soucier de son calcinement tout proche. Était-ce là réellement son ambition que d'être roussi corps et casque, ligoté au grand bouleau ? Qu'importe ! C'était trop pour un fils sensible comme faon : je n'allais pas concourir à ce trépas organisé. Sans compter que les vents, fous de furie, menaçaient déjà de s'emparer des flammes et de propager l'incendie. Aussi entrepris-je sur-le-champ d'éteindre le tout à grands coups de semelles, avant que l'élément ne consume la forêt et père tout entiers. J'y parvins non sans immolade de mes godillots, ni sans noircissement de ma face et de tout mon accoutre, à force de piétiner, de taper et de cracher tel un possédé sur le feu.

À la fin, tandis qu'il ne subsistait du brasier que fumées et parfums de carnes rôties, je me jetai aux pieds de père et, vaincu, sans souffle, le questionnai de cette manière : « Mais pourquoi, pourquoi cette folie ? » Mais lui, encore tout fumant et toussotant, ne répondit ni goutte ni nèfles. Il semblait encore en proie à l'envoûtement de ses gens. Aussi hésitais-je à le libérer de ses liens : ces démons-là allaient-ils, si je le déligotais, ordonner à père de m'administrer une brossée, peut-être même de m'expédier en contrée de mort ? Je restais coi, établi immobilement aux pieds de père, le guettant du coin de l'œil. Du temps coula. Le cyclone, à présent, perdait en menace, ses souffles mourant déjà parmi les arbres lointains. Je vis bientôt dans le regard de père que ses gens avaient fui. Je coupai donc le grelin, puis nous rentrâmes en cabane, chancelants, surpris de pouvoir encore imprimer nos pas sur la terre, nous supportant l'un l'autre.

Nous restâmes long de temps comme sans vie, établis sur taboureaux, vides de pensers et de mouvements.

Le jour fit son habituel tricotet d'heures. Puis vint le soir.

Juste avant que la lampe des premiers astres ne s'allume, père sortit un moment de sa torpeur et me fit ce bref discours : « Il est dit que le feu éloigne la peur pour celui qui s'y frotte. Et ta mère, Fils, était emplie de courage. Elle était semblable aux pumas qui peuplent cette forêt, ignorant l'alarme, et le péril, et la colère des cieux ! »

Puis il se leva doucettement et, parvenu à sa paillasse, s'y allongea, la face contre le mur. À peine un demi-laps coula-t-il que déjà cornets résonnaient en notre logement. Car père était fort ronfleur.

Ainsi en était-il chaque fois que le grain crevait. Parfois, les gens de père venaient, parfois, ils ne venaient pas. Cependant, père cédait toujours au paniquement le plus terrible. Je songeais : « Mais, enfin, pourquoi cette si forte crainte du vent ? » Certes, père était lecteur d'astres, et donc sans doute aussi un brin démêleur d'excentricités célestes. Mais sa lecture du grain était inexacte, pareillement à celle qu'il se faisait du trépas. Car en quoi fâcheries de ciel et éternuements de nuages pouvaient-ils inquiéter ? Ce n'était là, à mon estime, que riens et broutils.

Mais, vous le verrez, Monsieur le juge, et vous aussi, Bourgeois et Créatures membres du jury de ce tribuneau, un jour allait venir où je traduirais l'effroi de père à l'endroit du cyclone. Et j'allais aussi, par là, embrasser meilleurement nombre d'inexplicabletés le concernant.

Le sort décida une fois que nous séjournerions pour un temps au village. Ce jour-là, père s'affairait par matin à cueillir œufs de merle au sommet d'un frêne, non loin de la cabane. Il mit à un moment le pied sur une branchotte un peu trop fluette, qui cassa, et lui fit égarer l'aplomb. Privé de son assiette, père chut, talonné par la branchotte, les œufs et amples débris d'écorce variés, raclés par lui au passage. Arrivé en bas, il hurla si fortement que les bêtes à l'entour s'en effrayèrent et filèrent ventre à terre dans un tonnerre de galopade. Car sa cheville paraissait disloque, et en son godillot la grosseur profitait. Comme j'avais patienté, au pied du frêne, que père redescende avec les œufs, j'étais prêt à intervenir. M'approchant de père dégringolé, je dis, surpassant ses hurlades : « Père, voici que ton godillot boursoufle avec empressement. J'incline à croire que l'os est rompu, ci-dessous. Patiente ici, je course au village quérir le secours ! » Puis je détalai, filant comme la flèche libérée de l'arc.

Après une rude course en forêt, je parvins donc à l'abord du bourg, presque vidé de mon souffle. Je n'étais pas entré souventes fois au village. Bien sûr y avais-je posé les pieds par occasions, mais toujours assez sourdinement, afin d'y chouraver quelque fruit, morcelle de lard ou michotte de pain, et toujours sans en aviser père. Car père n'aimait pas l'humanité, et encore moins que j'y exerce avoisinance.

Que faire à présent ? Je songeai qu'il existait des bourgeois, appelés doctes, dont le métier est de remettre en état les corps lorsqu'ils se rompent. Comment trouver ici une telle personne ? Je résolus d'aborder le premier bourgeois, la première créature à passer par-devant ma face. Car je ne pouvais bien sûr repérer la résidence du docte à son panonceau, puisque j'étais aussi analphabique qu'un putois. Ma manœuvre fit merveille. Le bourgeois que j'avertis en attira d'autres, auxquels s'ajoutèrent des créatures et mêmement des jouvenceaux. Tous me questionnèrent. Je dépeignis de mon mieux le malheur de père : la branchotte cédant sous son poids, sa descente, sa hurlade, les œufs cassés sur sa liquette, les bêtes apeurées, ma course jusqu'ici pour dégoter le secours. Comme chaque fois que je m'étais mêlé à l'humanité par le passé, on me toisait avec curiosité, comme si j'avais été une bizarrerie. « Vous avez vu ses vêtements ? Et ses chaussures ? Et comme il est sale ! » entendais-je sortir chuchotamment des bouches.

Une créature se dégagea de l'agroupement. « Et votre père, où est-il en ce moment ? » me questionna cette charmante. « Père est jonché sur la terre au pied du frêne, non loin de notre cabane ! » rétorquai-je. Puis elle me prit la main. J'en fus comme tout esbaudi, n'ayant jusque-là jamais fait l'objet d'un tel égard. L'espace d'une durée, j'en oubliai quasiment le pourquoi de ma présence au village. Quelque chose me piqueta dans le gosier, un peu comme quand père me faisait avaler la soupiasse aux fourmis pour me punir de quelque canaillerie. Je sentis mon cœur empli de cabriolades. Le souffle me fit défaut un brin, quoique je fusse à ce moment aussi stationné que l'ourse enroupillée. Je lâchai : « Diable ! Quand vous me touchez la main tel qu'ainsi, c'est comme si farfadettes me chatouillaient sous le pied ! Cela me met hilarités au corps ! » Souriant doucettement, elle me dit : « Dépêchons-nous d'aller chercher le docteur. Votre père est en difficulté. Et après, il faudra vous débarbouiller un peu. »

Me *débarbouiller* ? Que concevait-elle par là ?

Mais j'oubliai vitement ces paroles étranges, car je fus aussitôt distrait par les enseignements et sommations qu'elle distribuait maintenant aux curieux : « Le père Courge est blessé ! » déclara-t-elle. Puis, s'adressant plus directement à l'un et l'autre bourgeois : « Toi et toi, courez jusqu'à la cabane et voyez dans quel état se trouve ce pauvre homme, et rassurez-le : dès que possible, nous arriverons avec le docteur ! » Et là-dessus, ils commencent à décamper vers la forêt.

Jusque-là, je n'avais jamais conçu que père pût posséder un nom. J'ignorais aussi qu'il était connu au village et que toutes ces personnes étaient au fait de l'adresse de notre cabane. Je fus instruis bien plus tard que, si père possédait ici quelque réputation, c'est qu'il s'était mesuré, en d'anciennes périodes, à gens du village. Mais je rebrousserai en temps prochain, Monsieur le juge, sur cette portion de mon récit.

Déjà nous foncions vers le séjour du docte. Voici que nous parvenons à son seuil et que nous toquons. Le docte paraît, et s'étonne : « Manon ? Que faites-vous ici ? Vous êtes souffrante ? » Puis, m'apercevant ci-derrière elle et plissant le blaïr : « Tiens ? Le fils Courge ! Comme il sent mauvais ! D'où diable sort-il encore ? Du dépotoir municipal ? » Je fus enseigné ainsi du prénom de la bienveillante créature que j'accompagnais. « Je vous en prie, fit-elle, impérieuse. Ne perdons pas de temps en vaines paroles, Docteur ! Le père Courge semble avoir eu un accident, il vous faut tout de suite venir avec nous le trouver dans la forêt ! » Et là-dessus, il déclare : « Oh ! » Puis il s'éclipse hâtement à l'intérieur. Il revient sur le seuil avec sa valisette, et dit encore : « Je vous suis, Manon ! » Alors je repars en course, talonné par ma charmante et le docte.

Après galops et parcoursements, nous voilà à l'abord de père presque crevant dans son godillot et passant une guirlande aux bourgeois de tantôt, arrivés par-devant nous. Car père n'était pas commode avec l'humanité. Mais déjà le docte désaccoutre la cheville et commence son étude. Il toise, il potasse, il enquête. Puis il veut palper la grosseur afin de la mieux traduire. Il pose indextre dessus. Père surtressaute et gueule de souffrance. De son pied encore valide, il met une savate dans l'estomac de son bourreau. Le docte se plie comme roseau en ouragane et sort la langue, et même l'œil un brin. Sa face égare couleur, puis la recouvre, mais anormalement : la voici pareille à bleuets de cornouiller. Pour sûr, il avoisine suffocation. Manon et les bourgeois accourent et s'inquiètent de sa vie. Mais leur alarme est vaine : sous peu le docte reprend ressort et, se tenant le bedain, le souffle encore courtaud, déclare : « C'est l'os. L'os de la cheville de Courge : cassé ! »

Il nous fallut usiner une brancarde de branchottes et transporter père jusqu'à l'hospite du village. Là-bas, on commença de suite à lui coincer la cheville dans une plâtrade, afin, me dit-on, de permettre à l'os de relever.

Cependant que père était livré au docte-plâtreur, Manon entreprit de me *débarbouiller*. Je fus d'abord enseigné du sens de ce mot-là, qui désigne immersion en barrique et savonnade vigoureuse. Dans une chambrette de l'hospite, je fus ainsi récuré pour la première fois de ma vie, à l'aide de brosse et savonnette, que Manon maniait avec industrie. Tandis que je sentais la brosse manœuvrer, il me paraissait que ma charmante ne faisait pas qu'enlever croûtes et étages de crasse sur ma peau, mais aussi qu'elle atteignait de plus aprofondes zones, jusqu'à l'abord d'une contrée encore ignorée. Comme si elle se faufilait en ma personne, y défrichait une forêt nouvelle et y venait s'établir. Je songeais à l'étrangeté que voici : souventes fois, nous nous concevons reclus en nous-mêmes comme en accoutre étanche. Puis, un jour, le commerce aimable des autres nous pénètre et abolit cette solitude de captif.

Il y avait aussi dans la chambrette un instrument des plus prodigieux. Je crus d'abord qu'il s'agissait d'une fenêtre, puisque j'y vis bientôt s'y fixer un bourgeois, qui n'avait de cesse de me lorgner et de singer chacune de mes postures. S'égayant de ma surprise, Manon m'instruisit que l'instrument s'appelait un *miroir*, ce qui était fort sensé puisqu'on pouvait en effet s'y mirer. Moins grande fut mon aise quand je traduisis enfin que la face aperçue là-dedans n'était autre que la mienne. Je fus pris d'antipathie. Quoi ? Ce bourgeois à la mine de vilain et de simple, c'était moi ? Quoi ? Ce désagréable ? Cet œil de pouacre ? Ce chevelu ? Désaplomb des choses ! Comment ce monde pouvait-il abriter si vives dissemblances : laiderons tel le fils Courge, et joliesses pareilles à Manon ? Je détournai le regard et tentai de rebrousser en la contrée que je découvrais par les soins de ma charmante. J'y parvins, cependant que Manon maniait avec hardiesse la brosse sur mon échine. Mon consolement fut à son comble quand, lorsque je sortais de la barrique, on me fit porter à manger une savoureuse soupiasse de végétation.

Et tandis que j'avalais cette pitance, je méditai que Manon m'avait appris ce jour-là une paire de choses : le chatouillis du chérissement et, aussi, comme ligoté à cela, le sens de ces mots nouveaux pour moi : *débarbouiller* et *miroir*. Sans doute, Monsieur le juge, fut-ce là la première curiosité que je conçus non seulement pour amour, mais également pour vocabulaire. C'est à ce moment-là qu'amour établit sa paillasse en ma personne. C'est là aussi que je pressentis que parole donne vie à toutes choses en les baptisant d'un nom. J'appris le nom de père, puis celui de Manon, et ce fut pour moi comme si ces personnes commençaient à vivre véritablement : je les vis pour la première fois. Je toisai en ces noms-là comme je toisai en miroir ma face délivrée de ses crasses : ce fut révélation, et saisissement.

Père fut mis à stationnement pour quelque temps. Malgré ses protestes, on nous assigna une chambrette, car le docte désirait profiter de notre présence pour *faire des tests* sur lui. C'est que père, depuis le début, avait été surpris au moins une fois à palabrer avec ses gens, éveillant ainsi perplexités parmi doctes et garde-souffrants de l'hospite. Suivant ses palabres, robustesse de bras avait été nécessaire afin de le retenir de partir en démente mission.

Enquêtes furent donc faites sur sa personne. C'est par suite de ces fouilles, menées non sans difficultés, qu'on lui dénicha dans le casque le trouble dont je discoure depuis le début de mon histoire et qu'il contracta, je crois, le jour de l'inhumation de mère.

Notre séjour dura nombre de courses de lunes et de soleils. Nous demeurâmes, père et moi, cloîtrés dans la chambrette. Chaque jour, un garde-souffrant venait avec l'intention de nous administrer une savonnade. Je me laissais brosser ainsi qu'il l'entendait, jusque dans le creux de l'ortelle et ci-derrière l'esgourde. Père n'était pas si docile. Chaque fois le garde-souffrant reçut en face et sur casque savonnette et chaudron à décrassade, projetés avec force par père. Presque chaque jour aussi, le docte venait me trouver et me disait : « Mais pourquoi diable ne sortez-vous pas un peu ? De grâce, changez-vous les idées, allez au moins marcher dans les rues ! » Mais j'élisais préférablement de demeurer auprès de père, presque toujours tenu stationné sur la paillasse par sa plâtrade. Car je sentais croître mystérieusement comme ficelle me liant à lui. Je ne traduisais guère cela encore, mais je conçois aujourd'hui que c'était là, déjà, mon chérissement envers père qui ouvrait sa route en mes machineries. Et puis, j'aimais bien rester à moisir moi aussi, goûtant repos et mollesses, avalant à heures précises soupiasses exquises et, surtout, guettant à la fenêtre le passage de Manon. Mais jamais, jamais, ainsi que vous le découvrirez bientôt,

Monsieur le juge, ne pus-je rediscourir avec elle, ni non plus jouir de ses bienveillances.

Puis, un jour, on libéra la cheville de père. Tandis que nous nous préparions à quitter l'hospite, le docte remit à père une fiole de granules et un papier lui permettant de s'en munir par suite autant que voulu auprès d'un docte-droguiste. Voici son dire d'alors, qu'il professa à père avec sourcile bas: « Votre état est grave. Vous veillerez à prendre ces médicaments tous les jours. Il en va de votre santé mentale et, partant, de la bonne marche de toute votre existence. Si vous n'avez pas les moyens financiers nécessaires, faites une demande auprès de la Sécurité sociale, ils vous inscriront. Et puis… vous devriez songer à vivre autrement. Croyez-moi, pour vous comme pour votre fils, cette vie retirée dans les bois comme un animal, ça n'a rien de bon. Les bêtes sauvages font ainsi. Pas les gens. » Père prit rudement les granules et le papier, émit un grognement, me grippa le coude et m'entraîna par-devers lui.

Dehors, le soleil nous griffa l'œil.

Sitôt que nous fûmes hors hospite, la fiole alla choir sur une pelouse, expédié par le pied de père tout revigoré après son relèvement dans la plâtrade. Puis nous rebroussâmes vers la cabane. En chemin, bourgeois, créatures et jouvenceaux se retournaient sur notre passage et nous toisaient étrangement par-dessus l'épaule, comme si nous étions de la race des bêtes. « Maudite racaille ! » clamait père à leur endroit. « Faquins ! Pendards ! Marauds ! » serinait-il, simulant pour chaque villageois savates et mornifles, battant l'air de ses poings menaçants, crachant sur les godillots des plus avoisinants.

Je continuai d'être qui j'étais: le fils Courge, besogneux sous les arbres de la forêt, esclavé à père comme la fleur à la pluie, le suivant en sa folie de casque comme arbre sous foudre: me brûlant par feu de ciel, me déchirant puis tombant enfin, renonçant à me tenir dressé. Cependant quelque chose avait commencé à voir le jour au milieu de moi. Je sentais en mon poitrin battre un tambour nouveau et carillonner formidableries de cloches. Par nuits silencieuses, et aussi par moments d'accalmettes, je traduisais ce bruit, monté de mon cœur ainsi que la fumée d'un feu de joie. En mes murs intérieurs résonnait désormais ce nom aussi délicieux que soupiasse de poisson-chat: Manon, Manon, Manon. Mais je rebrousserai bientôt, Monsieur le juge, sur cette matière-là, bâtisseuse de tout l'édifice du malheur qui m'a mené ci-devant vous.

Père, quant à lui, ne se modifia guère, et continua d'être visité par ses gens. Aussi partions-nous souventes fois dans la forêt, parfois tout le jour, pour accomplir obligatoirement l'une ou l'autre action démente. Sur sentes et monts, par vaux, gorges et en ravins, je talonnais père trépignant, persuadé par ses visiteurs imaginés. J'allais sur son pas, me pliant à son empire absolument, tenant donc le rôle de complice esclavé, faute de quoi j'étais assuré de subir châtiments et exemples.

J'observais toutefois que les actions que ses gens lui mandaient semblaient toujours liées par même fil : toutes se rapportaient à mère, et étaient accomplies afin d'en honorer le ressouvenir. Comme si, à défaut de la coudoyer en ce monde des vifs, père la rappelait à lui par le moyen de ses gens. Peut-être ainsi, mâchais-je en moi-même, la folie est-elle une sorte de corridor reliant provisoirement vifs et trépassés. Ainsi la déraison de père n'était-elle pas aussi folle qu'il y paraissait : mère, par-delà même les limites de l'ici-bas, permettait à père d'entretenir en sa vie quelque direction.

Mais comme il était ardu de traduire cette direction ! Un jour, nous étions à ramasser de la dalibarde pour le thé, quand père commença à mouvoir les bras tel le moulin en pleine bourrasque. Puis le voilà qui gratte l'air, et criaille, et exhibe denture, et retrousse lippe, et plisse blair. Il crache invectives et mises en demeure. Par suite il choit, roule sur le sol et assène dans le vide coups de pied et crochets. M'est avis qu'il tâtait ainsi de griffer la face et d'enfoncer le ventre de ses gens afin de les pousser à rebrousser en leur contrée de diablotins. Car sitôt que ses démons lui venaient, père paraissait toujours guerroyer contre eux, luttant d'abord avec extrême zèle afin de garder son casque froid et vide de ces monstrueux-là. Mais toujours cette lutte s'estompait, et toujours père capitulait puis commençait à se soumettre aux desseins de ses gens. Il semblait dès lorsqu'il était fendu en une paire de parties, ainsi qu'une billette sous le coup de l'outil: la terre de l'ici-bas ne paraissait plus supporter qu'un seul de ses pieds rondelets, cependant que l'autre foulait le sol d'un outre-monde.

Mais voilà que son démêlé se finit. Père se ramène sur ses pieds, secoue sa culotte pour en déloger la terre et entreprend de discourir avec ses visiteurs chimériques. À la fin, il me tend sa hotte de dalibarde et commande: « Parvert! Fils, emporte cette herbe à la cabane. Nous avons à faire! » Alarmé maximalement, je chargeai donc nos hottes sur mon échine et talonnai père sur la sente.

Parvenu avec lui à notre logement, je dus procéder à la plus détestable composition culinaire de mon existence. Père m'ordonna en effet de poser sur le feu la grosse marmite, puis d'y fourrer les ingrédients que voici: quantité d'eau de la barrique, une couleuvre, les tripes d'un garenne, un godillot, abondance de petits cailloux, une poignée de fourmis, une hotte complète de dalibarde, une famille de lombrics et toutes humeurs extraites d'un chipmonque : sang, flegme, sève, bile et atrabile. J'avais été soumis, déjà, à avalement d'autres sordides repas : crevard de mouffeton, troublé de bif, répugnant de poularde ou piteux de fétuque. Mais le rata que me fit apprêter père ce jour-là outrepassa, en infamie, toute empiffrade d'avant.

Une fois mes ingrédients jetés dans la marmite, père s'assied devant l'âtre et moisit jusqu'à ce que ça bouillonne. Puis il prend la louche, brasse un brin, et gorge de cette affreuse mixture nos écuelles à soupiasse. Entamant la sienne, il dit : « Avale, Fils ! » D'un bond, je me répands à son genou, pleurniche presque et rouspète : « Mais pourquoi ? Pourquoi me faire avaler ce tord-bedain ? » Seulement, nul discours ne traverse sa lippe. Plutôt, il ingère sa méprisable bouillade goulûment, lèche la cuillère. « Pourquoi ? Pourquoi ? » serinais-je, toujours à son genou, tandis qu'il se servait déjà une nouvelle portion. À la fin, il se dresse brusquement, pointe son doigt menaçant vers moi et relance avec courroux : « Avale, Fils ! » Résigné, je rebrousse sur taboureau et commence à m'enfourner cette chose. Je manque vomir encore aujourd'hui rien que de l'évoquer. Pour bien satisfaire père j'avale tout et racle même l'écuelle, non sans grimaces. Père étant exaucé, je file par suite finir le jour et entamer le soir sous le grand hêtre, allongé et gémissant, me grippant les tripes.

Plus tard, quand la nuit commença à s'étaler et que nous préparions silencieusement nos paillasses, père prononça ces mots avec stoïquerie, comme à sa coutume quand il évoquait mère: « Ta mère chérissait fortes soupiasses. Celle d'aujourd'hui le fut. » Puis il mouilla la mèche.

Toute la nuit je fus tourmenté de crampes. L'aube me trouva, privé de sommeil, la face blanche comme galette de sel, le corps tout entier fâché au simple penser d'engloutir quelque nourriture nouvelle.

Mais il me faut à présent discourir plus longuement à propos d'amour.

Manon avait donc mis le feu à la poudre de mes chairs et, par reflet, à celle de mon cœur. J'entrerai toutefois en cela par une autre porte : celle qui conduit au cœur de père. Car ce sont là matières avoisinantes.

« Bien sûr, père chérit mère, me mis-je à songer. Mais m'aime-t-il, moi ? Nourrit-il à mon endroit au moins quelque sentiment ? » Toujours, depuis mon encontre avec la douce Manon, cette méditation me venait. Père m'aimait-il ? Rien ne me le laissait concevoir. Il me rossait. Il me soumettait à des enfermements prolongés dans la cabane. Il me forçait au labeur le plus ingrat, sous climats de pluie ou de froid extraordinaires. Il m'extrayait du roupil dès l'aube avec grandes criailleries, ne m'abandonnait jamais au repos avant l'apparition de la première étoile du soir. Il me ravitaillait d'insectes grouillants, de pitances faisandées, m'empêchait de revigorer le capiton de ma paillasse. Me refusait tout abord du village, sous peine de châtiment redoutable. Me contraignait d'égorger bêtes et oiseaux pour le seul plaisir d'achever, pas même à des fins d'avalement. Et, surtout, il m'entraînait avec lui dans sa folie, sous la gouverne de ses gens. Père m'aimait-il ? Nul signe d'une telle chose depuis l'heure de mon premier jour.

Me vint une fois la question que voici : aurait-il enfoui son chérissement pour moi dans la tombe avec mère ? Je mâchais ce penser : « Serait-ce donc faisable de mettre en terre le sentiment humain ? » Bien qu'avoisinant en âge la longueur d'une demi-vie au moins, je ne connaissais pas encore très bien les lois conduisant le monde. Pouvait-on inhumer le sentiment, comme on le faisait coutumièrement des chairs ? Produits de cœur seraient ainsi autant palpables que viscères, que musclures ? Aussi enfermables que gangstaires ? Cela, en tout cas, traduirait la sécheresse de père à mon endroit. Il me fallait éprouver cette vue.

Je m'en fus une nuit, grippant derrière la porte notre pelle et usant de maintes précautions afin de ne pas éveiller père. La déesse Lune ne paraissait point, mais il me fut aisé au seul éclairage des étoiles de mettre mes pas sur la sente, tant j'étais formé au dessin de ce pays. J'arpentai sous peu assez de terrain pour aboutir à l'embranchement du grand mélèze, laissant entre la cabane et moi considérable distance. Je dus alors m'établir sur une billette et délibérer : par où prendre ? À levant, à ponant ? Devant, derrière ? Car, enfin, je ne concevais aucunement le lieu de l'ensevelissement de mère, hormis qu'il existait quelque part en la vaste forêt. Que je le sache, père n'avait jamais rebroussé à la tombe. Jamais non plus ne m'y avait-il piloté. La piste y menant équivalait donc à cheveu de mouche. Comment, en semblable circonstance, dégoter le repos de mère ? Diable ! Et au plus épais de la nuit !

J'errai parmi les arbres long de temps, furetant le sol à la recherche d'un sépulcre. N'aboutissant à rien d'autre qu'à lever ici et là gélinots et garennes, je commençai à décourager lorsque la fortune me vint en assistance. Le ciel prêta-t-il esgourde à mes geignements ? Mais le ciel s'embarrasse-t-il au moins de nous ? Ou n'est-il simplement que bâche sur nos casques fiévreux et peu instruits ? Un bourgeois parut, et je connus sans tarder à la petite lueur bleue qui l'entourait qu'il s'agissait d'un trépassé. Il m'aborda, posa sa main sur mon épaule et, puisque les macchabées ne discourent jamais, ne fit plus rien d'autre pendant un moment que me toiser. Je notai, en lui retournant son regardement, qu'il avait cette même mine chagrinée que mère. Hormis cela, son chef était recouvert d'une chevelure abondante et désordrée, et sa lippe habillée de moustaches. Il paraissait pénétrer mon entendement. M'est avis qu'il conçut à ce moment que j'étais en quête de la tombe de mère. Le voilà qui recule d'un pas, stationne, et pointe l'index-tre en direction de ponant. Puis il rebrousse encore un peu, me salue de la main et s'éclipse lentement en la forêt. Déjà il n'est plus qu'ombre. Coudoyer un mort est toujours une expérience troublante. Que faut-il lire de leur coude touchant le nôtre ? Et si le trépas nous prenait là, tandis que nous sommes affairés entièrement à vivre ? Mais je boute hors mon casque cette méditation, car déjà la nuit passe et il me faut poursuivre mon dessein. J'empoigne la pelle que j'avais posée sur le sol et, m'en remettant au sort, m'avance sur la sente du côté indiqué par le mort.

Je progresse, respectant le cap. Puis voici la grande pruche. Je cesse mon cours, considère l'à l'entour. Sur l'arbre, à hauteur de genou, le dessin d'un cœur anciennement creusé dans l'écorce. À son pied, un monticule de terreau où croissent benoîtes : le repos de mère, assurément.

Dans les branchottes, un hibou me toisait. « Que fabrique donc ici, et sous pareille heure, le fils Courge ? » semblait-il peser. Peut-être l'empire de la fatigue commençait-il à me faire égarer l'entendement, mais je goûtai à ce moment le besoin de discourir à cet oiseau. M'adressant à lui comme s'il s'agissait d'un bourgeois, je lançai : « J'ai voyagé jusqu'ici cette nuit pour m'instruire d'une chose : oui ou non, peut-on enfouir le sentiment humain, le peut-on ? Aussi, si le chérissement de père à mon endroit repose sous ce terreau aux côtés des restes de mère, puis-je, moi, ramasser ce sentiment, le ramener comme gibier à la cabane et le réintroduire en père, aux fins qu'il m'aime désormais tel qu'un père doit aimer son rejeton ? » Ainsi parlai-je à l'oiseau-maître-de-la-nuit.

Je grippai par suite la pelle et entrepris de fouiller la terre. Je cognai bientôt sur le bois de la bière. Aussitôt, tous mes membres chevrotèrent et, en toutes parties de ma personne, secousses se firent sentir. Qu'était-ce donc que cette trépidation ? L'émotion de retrouver mère en sa contrée d'outre-vie ? Non, puisque, déjà, mère paraissait à mon regard souventes fois, et même deboutement plutôt qu'allongée en couche-mort. Mais alors ? Le trouble de trouver au flanc de mère l'affection dont père m'avait frustré jusqu'ici ? Oui, sans nul doute. D'un coup de pelle, je trouai les premières planches. Me jetant à genoux et écartant encore la terre, j'arrachai les suivantes, pourries par le passage des époques. Un loup hurlupina.

Mère – du moins ses restes – gisait là, rompue, nettoyée de ses chairs et humeurs. Je ramassai un à un les os de sa carcasse, en formai un petit monceau au pied de la pruche. Quand tout le squelet fut extrait de la bière, j'examinai attentivement l'intérieur. « À quoi reconnaît-on le sentiment ? » songeai-je alors. « Quel espace occupe-t-il ? Est-il sombre, lumineux, léger, lourdaud ? » Rien ne paraissait. Résolu, je décidai d'inspecter la bière de fond en comble en y introduisant ma personne. M'y glissant entièrement, je m'y dépliai les membres. Ainsi établi, j'eus bientôt le point de vue d'un macchabée. Je toisais le monde des vifs tel qu'on devait le faire depuis l'outre-existence. Tout n'était qu'ombres et silences. Une chouette passait, parfois, ainsi que le fait la flèche : trouant l'air, sifflant à peine, impatiente de son dessein. En cieux, d'obscurs nuages se rassemblaient et formaient le plan de pluies à venir.

Mais, autour de moi, nulle trace du chérissement de père.

Je stationnai de la sorte long de temps, la carcasse de mère à mon côté. La forêt à présent était coite, les bêtes, toutes assoupies, la nuit, frisquette et achevante. Haussant le regard, je perçus la branche déshabitée : le hibou avait fui. Je m'ébranlai pour faire semblablement. Je rangeai mère dans la bière et rebricolai son repos. Puis je remis sous mon pas le ruban de la sente, et m'en rebroussai vers la cabane. Déroulant mon chemin, j'emplis mon casque de cette obsédante méditation : « Ainsi, me dis-je, père a conservé son sentiment pour moi à l'intérieur de lui-même, puisque je ne le dégotai pas ici cette nuit. » Cependant, un autre penser me venait et me suppliciait, que je brassais en moi-même et que je ne cessais d'exprimer à voix haute tout en marchant. Son écho allait heurter les arbres à l'entour et rebroussait à moi, tel un rêvement mauvais qui ne veut plus nous quitter et établit sa résidence en nos appareils. « Mais père m'aime-t-il, m'aime-t-il seulement ? » Ainsi parlais-je.

Dès lors, je décidai de ceci : il me faudrait savoir, savoir absolument, désormais, si père me chérissait. Plus encore : il me faudrait *voir* son sentiment, le toiser comme on toise toutes choses en domaine de la Terre. Car il devait être possible, n'est-ce pas, que l'œil saisisse cela, il le fallait, il le fallait. Oui, je serais à compter d'ici tel l'aigle chassant la souricelle du haut de l'azur et ne pouvant s'en remettre entièrement à son esgourde, ou à son blair : il me faudrait la preuve que procure le regard. De toute manière, pouvait-on concevoir de vivre, de circuler d'un bout à l'autre de l'existence sans que le regard encontre le sentiment ? Peste soit de cette introuvableté ! On voit bien l'arbre, la pluie, le poisson-chat, et ce n'est que juste phénomène : ces choses-là nous sont indispensables au vivre. Ainsi de l'amour.

Mais, pour l'heure, je ne pouvais me dérouter de ce penser désolant : la nuit s'achevait et mon labeur était resté vain. En tous horizons, nulle preuve encore que je fus aimé de père. Ah ! moi qui nourrissais pour lui de si tendres feux ! Pourrais-je un jour goûter de lui, en retour, semblables chaleurs ? Le pourrais-je ? Comme ce jour me semblait loin !

L'aube commençait à effacer les ombres quand je me glissai sur ma paillasse. Pleuroyai-je, Monsieur le juge ? Il me semble bien que non, tant était aprofond mon chagrin, et aprofondes les larmes qui auraient pu monter à mon œil.

Cette matière avoisinait en moi l'espoir de retoiser Manon. Ma charmante n'avait-elle pas, la première, semé en ma personne le besoin de chérissement ?

Je profitais des siestes de père, ou de ce qu'il cuvait l'eau-de-genièvre, pour filer en douce par la sente et gagner le flanc de la forêt, d'où je pouvais lorgner à loisir le va-et-vient des villageois. J'ascensionnais alors le grand orme qui croissait là et m'y logeais sur la plus haute branche. Je jouissais de la sorte d'une vue panoramique de la grande rue, où grouillait toute une population d'humanité. Souventes fois, le soleil pouvait courser fort longuement en l'azur que je restais en mon mirador, ancré aux rameaux, à lorgner chaque promeneur dans l'espoir d'y reconnaître l'exquise Manon. Mais jamais sa glorieuse face ne paraissait, et c'est le cœur empli de mélancole que je me résignais chaque fois à redescendre sur terre, puis à rejoindre père.

Un jour que je rebroussais à la cabane au terme d'une durée dans l'orme, je notai que père avait écourté sa sieste et m'attendait, l'œil mauvais, deboutement sur le seuil. Était-il à nouveau la proie de ses gens ? Je conçus en tout cas que j'aurais sous peu à lui fournir traduction de mon absence. Car, hormis pour les missions de chasse qu'il me confiait, père aimait à me garder à distance de regard et me couvrait de ses foudres quand je me risquais à déporter sans raison recevable ma personne hors du champ de son œil. Cette obsession tenait à sa crainte, justement, de me voir gagner le village, de me mêler aux populations et adopter à la fin leurs us et conduites.

Quoi qu'il en soit, aussitôt que je fus à son avoisinance, il me saisit l'esgourde et me la dévissa sans quartier, jusqu'à ce que je crie grâce. Il m'intima ensuite de pénétrer par-devers lui dans la cabane, non sans m'administrer au passage une brossée de godillots sur le train. « Où étais-tu terré ? » tonna-t-il. Je fis le naïf et mentis formidablement, escomptant qu'il marcherait dans pareille dissimulation. « Euh… Je grappillais un peu de polytric pour bourrer ma paillasse, dis-je. Il me semble que le capiton est piétiné, depuis un moment ! » Cette félonie me valut mornifles sonores et branlements de casque. « Grain d'orage ! Ne me pigeonne pas, Fils ! » brama père. Je dus me confesser : « J'étais au sommet du grand orme, à l'imminence du village. Je fondais espoir d'y lorgner Manon, puis de l'aborder ensuite. »

J'aurais avoué d'être acoquiné avec démons que père n'aurait pas été moins secoué. Son courroux fut géant. Il me roua de coups jusqu'à ce que j'en égare les sens et m'évanouisse au pied du taboureau. Par suite, il dut m'empoigner et me mener dans les buissons, car c'est là que j'émergeai de l'anesthésie où il m'avait plongé pendant je ne sais quelle durée. J'y stationnai long de temps parmi les feuillages, allongé, raide et comme pierraille refroidie. Je fus tant brisé que je ne sais comment mes parties se ranimèrent à la fin et recommencèrent leur emploi. Je notai bientôt cependant que le geste rebroussait en mes chairs et m'autorisait à nouveau de bronchement.

Je rentrai m'allonger sur ma paillasse. Il me fallut une course complète de soleil, puis une autre encore avant que je puisse à peu près ressentir les annonces du relèvement. Pendant tout ce temps, père ne parut pas. Sans doute était-il à battre la forêt, reniflant la piste de quelque bête, ou emplissant sa hotte de vibournoume et de muguette-à-soupiasse.

Le jour expirait lorsqu'il rebroussa à la cabane, un garenne trépassé en sa hotte. Muet comme bille, il éventra la bête, l'éviscéra, en fit une bouillade et m'en servit une écuelle. Après mon séjour à jeûner sur paillasse, ce fut pour moi comme repas de monarque.

Je restai long de temps à goûter en silence, paupières baissées, la réparation de mes chairs que me fournit cette nourriture.

Aux premiers astres, je questionnai enfin père faiblottement: « Me diras-tu, Père: pourquoi cette si haute détestation en ta personne à l'endroit des villageois ? » Mais ma question fut ignorée. Pour tout rétorque, père retira sa liquette, ajusta sa culotte et s'allongea, puis il mouilla la mèche. Je flairais cependant que l'œil ne lui fermait guère. Et en effet, bien plus tard, quand la nuit fut à son comble, il me dit, depuis sa paillasse: « Je ne blaire pas ces villageois. Ils nous ont fait outragure, à ta mère et moi. »

Je restai longuement établi dans le noir, échine contre mur et bras longeant le corps, l'œil fixant les ténèbres, à méditer ces paroles. Peu avant que l'aube ne se dresse, je risquai de questionner le sens de ses mots: « Mais, Père, enfin: quelle fut cette outragure dont tu parles ? » Le répons qu'il me fit me parvint en ces termes, troublant un moment le silence épais de la forêt et les premiers mouvements du vent: « Parjaune ! Ne me pique plus avec le penser de ces pendards, et roupille donc, je te l'ordonne ! » Puis j'entendis la paillasse craquer sous le poids de père tournant sa personne contre le mur. La déesse Lune, pâlissante déjà, n'eut pas le temps de faire un saut de crapaud que tout père commençait à trépider sous l'empire de son ronflement.

Lorsque le soleil était bien enfoncé à ponant, il m'arrivait, quand il s'essayait à traduire le ciel et son ornement d'étoiles, de questionner père sur ma destinée. Car père était lecteur d'astres et, par même occasion, déchiffreur des avenirs inscrits en eux. Et moi, j'étais en cette matière aussi curieux que le loutron : je n'avais de cesse de me cuisiner et de m'interviewer sur le sort me guettant et sur la tournure de ma personne. J'étais ainsi fait, Monsieur le juge : je ne me rassasiais guère du jour coulant, et m'était besoin de creuser les époques prochaines. Ah ! comme j'aurais goûté de me transporter en avant, en quelque machine ou brouette avaleuse de temps ! Pourquoi ? Il ne m'est pas aisé de le traduire. Peut-être cherchais-je en demains ce qu'aujourd'huis ne m'offraient que médiocrement. On eût dit que l'époque présente ne me suffisait jamais, et qu'il me fallait embrasser, afin de parfaire cette époque, le projet et mêmement la conclusion de mon existence. J'incline à croire qu'il me fallait, pour mieux vivre, entrevoir la destination des choses, et ainsi imprimer signification à tout ce qui précédait cette conclusion, un peu à la manière de la fourmi qui rapporte en sa fourmilière la goutte de miel assurant la survie de ses sœurs insectes. M'était besoin de savoir que m'attendait quelque part une fourmilière, et que ce que j'y promettais en mon trajet lui était nécessaire. Et peut-être étais-je moi-même une sorte d'insecte rapporteur, cherchant en ce monde à se lier à sa société de semblables afin de lui fournir contribution. Quelle contribution ? Je n'avais en vérité que peu de choses à offrir, hormis la besogne de mon cœur, mon ouvrage de sentiment. Je ressentais souventes fois cela, lorsque je grimpais le grand orme et que je guettais en l'horizon l'apparition de ma charmante Manon. Je lui aurais alors volontiers fait cadeau de mes jours. Oui, il me fallait voir lointainement, afin de me mieux mesurer aux choses de maintenant.

Le train bien établi sur la fougère, le bedain plaisamment empli de ragoûte de putois, de terrine de pimprenelle ou de brouet d'herbe-à-l'âne, telle était donc ma voix : « Père, que distingues-tu cette nuit de ce qu'il en sera de moi ? » Quoiqu'il ne fût de coutume guère parleur, vint une fois où la glotte lui désengourdit. Lorgnant pensivement les mondes en cieux, il composa alors ce propos : « Parbeige ! Les astres cette nuit montrent de bien étranges choses, Fils ! J'y lorgne qu'un jour viendra où, par quelque diablerie, tu seras comme instruit de mots, et qu'alors lumières t'apparaîtront. »

Un aprofond silence suivit ce présage. Père lui-même en parut tout retourné et me considéra de son œil mauvais, comme si j'abritais en ma personne une lignée de démons. Aussi coupa-t-il court, avec les mots que voici, à notre veillée devant le feu : « Mais j'observe pareillement que nous entamons le laps nécessaire à la réparation de nos forces. Je te l'ordonne, Fils : déroule tes membres sur cette fougère, et roupille à présent ! »

« … et qu'alors lumières t'apparaîtront. » Paroles énigmatiques, que je ne pénétrai que bien plus tard ! Oh ! comme j'aurais voulu, cette même nuit, creuser davantage le langage tenu par père, et en traduire sur l'heure toute l'espèce ! Quel était donc cette clarté dont il me dépeignait l'avènement, et dont je sentais déjà confusément la machine s'ébranler en moi-même ? Mais père lui-même traduisait-il avec sûreté toute l'importance de son oracle ? Telle était ma jonglerie, cependant qu'il émettait, encore une fois, ronfleries et autres bruits de corps.

Il me paraît que les astres opéraient sur sa langue quelque besogne secrète et prodigieuse. Car sous voûte noire, la glotte lui délaçait parfois fortement, lui d'ordinaire si pétri de silences. Il fut ainsi une autre fois où la parure des étoiles fit père plus parleur qu'en la tradition.

C'était en heure d'aube, nous nous ébranlions afin de courir le garenne. Il nous tardait, en effet, non seulement d'assurer le repas du soir, mais aussi de regarnir notre magasin d'accoutres. Car nos cache-esgourdes, excuse-train, mitaines, godillots-de-poil, tapisse-parties, escorte-blair et pousse-cuisses habituels menaçaient d'usure. Les cieux commençaient d'ôter leur housse d'ombre, mais les étoiles toutefois résistaient encore et allongeaient leur mèche. Ayant établi sa besace sur son échine, père ouvrit la porte et posa son pas sur le prêle et les premières fougères. La face baissée, je le talonnai insoucieusement. Aussi ne notai-je pas qu'il stoppa bientôt son cours et stationna tout net ci-devant moi. Je le percutai, mais lui ne broncha brin, tant il était planté comme l'épinette sur la terre. Rebroussant d'une longueur, je m'étonnai de sa station et le questionnai ainsi : « Mais, Père : pourquoi cette stopperie, lorsque nous entamons à peine d'ébranler ? Pâtirais-tu de crampe à l'ortelle ? » Mais père n'offrait point de rétorque et n'affichait nul tourment d'ortelle. Simplement, il moisissait là, la face menée à l'azur. Puis, comme pensif, il plia genoux, peut-être pour s'approcher de la voix des astres que semblait lui renvoyer la terre, plissa paupières et continua de plus belle à toiser les choses ci-haut.

Je conçus à ce moment que le livre pâlissant des étoiles s'ouvrait à son œil et que père y lisait quelque récit nouveau. Tandis que j'étais, moi, tout nanti de nos flèches, piques et collets, que j'avais le godillot impatient, le nerf prompt et l'œil avisé, père dit, d'une voix étrangement coite: « Par hauts matins comme celui-ci, il me semble apercevoir la face de ta mère en ce plafond de nuits et de clartés mêlées. Car ainsi était ta mère, lumineuse et ombreuse tout à la fois. Un moment emplie de liesse, le moment d'ensuite opprimée par quelque chagrinerie. Que contenait donc ce cœur, toujours balançant entre l'élan et l'arrêtoir ? Parbleu ! Ta mère, Fils, était ainsi que l'aube : avançant au jour, regrettant la nuit. »

Sur ce mot, père se dresse lentement, toise une dernière fois meutes et compagnies d'étoiles. Puis il engage son pas sur la sente et ses promesses de pelisses.

Je le talonnai long de temps, le pied rêveur, le casque résonant de ses paroles. Surtout, je remuais la question posée par grand matin. En effet, que contenait donc le cœur de mère ? Plus tard, lorsque je perçais notre première bête puis que j'en retirais distraitement la flèche, je crus concevoir le répons que j'appelais. Oui, mère était ainsi que le déchirement de l'aube : son corps pouvait bien passer et tomber sous la brossée de la mort. Mais son cœur ne se résignait guère au trépas.

Avec les époques, père, apparemment plus encore que moi, avançait à grands pas en son mûrissement. Quel âge pouvait-il compter ? Je ne saurais l'estimer, d'autant que j'ignorais le sens des nombres. Il me paraissait en tout cas qu'il était de plus en plus ancien, je le notais à l'arc de son dos, aux rouillades de ses mains, au chaulage de sa chevelure, au labour de sa face. À sa voix aussi, de plus en plus tremblante, approchant le béguètement de la chèvre.

Un jour que nous courions le putois, père eut une gêne. Lui de coutume si adroit à la course, il dut à ce moment stationner au pied d'un bouleau et s'empoigner le poitrin à l'altitude du cœur, tant il paraissait pâtir. Inquiété maximalement, je le questionnai : « Qu'as-tu, Père, à rompre ainsi notre cours et à te tordre le corps ? » Mais il n'eut guère le temps de prononcer répons, car vint le moment où il s'effondra de toute sa dimension, le blair enfoui en terrain. « Père ! Père ! » criaillai-je alors, stupide, me jetant à son chevet, le retournant comme galette et me collant l'esgourde à son cœur pour lui apprécier le pouls. Mais rien ne remuait sous sa liquette, et père demeurait aussi stationné que le poisson-chat gelé sous l'étang.

« Père trépasse ! Père trépasse ! » fis-je dans mon alarme, me dressant et m'adressant à voix forte à la forêt, prenant comme témoins toutes choses végéteuses qui croissaient à notre avoisinance.

Le grippant par l'accoutre, aspirant à je ne sais quel prodige, je me mis à le remuer avec frénésie en tous côtés tel un marionnet, à lui battre le flanc et à lui ployer jambes et bras, à lui tirailler chevelure et blair, peut-être au fond lui prêtais-je de cette manière un peu de la bougeotte des vifs, je ne sais, je ne sais. Mais, malgré tout ce branle-à-bas, nulle réplique ne vint de son endroit. La bise s'essoufflant, il y eut un apaisement dans la ramure. Sur une branchotte, un cassenoix cessa son gazouillement et pencha l'œil sur nous. Une mosquite passa.

Père ne respirait plus.

Le cœur disloque, je me campai mollement à son flanc, m'ensevelis la face dans sa liquette de fibrilles et commençai à répandre mon pleur.

Mère vint. Elle s'assit sur une billette et, de sa mine triste encore, nous contempla longuement. Puis elle s'avança jusqu'à notre abord. Je pus frôler sa défroque. Mère mit alors sa main sur mon cœur, puis sur celui de père. J'en fus si troublé que j'abaissai paupières, comme pour goûter, sans la distraction de l'à l'entour, le sentiment que ce geste me causait. Je restai ainsi longue durée, semblablement qu'en état de prière: coi, étrangement distant du monde, de la forêt et mêmement de mère, mais fort proche cependant de père cueilli tantôt par le trépas. Inexplicableté de nos conceptions! Lorsque la mort cueille nos aimés, nous voici penchés à leur chevet, comme s'il nous fallait saisir en eux ce que trépas y laisse, croyons-nous. Mais que laisse donc la mort en nos cadavres, hormis squelets et viandes promises au pourrir? Que surdure-t-il donc en chairs refroidies des défunts que nous ne discernons pas clairement, mais que quelque part de nous-mêmes semble flairer pourtant?

« Ouvre tes esgourdes et ton blair, Fils! Le gibier me paraît être de ce côté! »

Ainsi parla père.

J'ouvris l'œil. Décontenu, me dressant prestement, je le vis faire de même et prendre par la sente, vert d'allure et leste d'enjambée comme s'il n'avait jamais trépassé, offrant blair aux vents et recevant à distance l'odeur du putois. Pendant ce temps, mère avait dû regagner l'outre-monde, car elle n'était plus visible à présent.

Oui, père mûrissait, et approchait l'âge des enterrements. Mais on eût dit que mère, à la façon étrange qu'ont les outrepassés de veiller sur les vifs, le préservait du trépas. À moins que ce ne fût moi-même qu'elle protégeait, usant de père comme d'un outil ?

Un soir, nous étions affairés à bourrer de polytric le fondement de nos godillots. Les insectes, ces petits ménestrels de la nuit, emplissaient l'air de leurs chants obstinés. Des mouches-de-feu passaient. Tandis que je guettais l'embrasement de leurs ventres extravagants, je goûtais semblablement un feu en moi-même. Je ne saurais traduire très bien quel était ce feu-là. Aujourd'hui que je me tiens deboutement ci-devant vous, Monsieur le juge, et que vous et les membres de ce tribuneau estimerez bientôt de mon histoire, puis déciderez de ma vie ou de ma fin, il me paraît que cet incendie brûlant en mes plomberies et terrains n'était autre que la joie d'être vif. Surprise des jours ! Lors même que le malheur s'abat sur nous comme grêlons, voici que brille en nos ventres une joie, courtaude et ténue, mais pourtant suffisante pour pardonner au sort ses rudesses ! Phénomène des fortunes ! Miracle du monde ! Chef-d'œuvre du ventre !

Cependant, ce feu, ce sentiment si grand, et mêmement tous les sentiments qui séjournaient en ma personne, ne m'apportaient pas que liesse. Ils me rappelaient aussi ma tristesse de ne toujours point trouver pour moi chez père de sentiment, justement. Oh ! comme il me tardait d'apercevoir enfin, comme émanant de lui, un peu de ce chérissement-là !

Oui, oui, père mûrissait en sa vie et menaçait, ainsi que le fait le fruit vieillissant sur l'arbre, de quitter la branche de l'ici-bas. Et plus les jours fuyaient, plus j'ambitionnais de voir amour sortir de lui, et s'exprimer de ses machineries, et se montrer, se montrer enfin ! Oui, où donc se cachait amour chez père, et comment le pouvait-on apercevoir en vrai ? Oh ! comme j'impatientais d'une telle vision, et comme je craignais de ne la pouvoir concrétiser avant que, à la faveur des jours fuyant, père ne trépasse !

À peu de temps de là, père eut une nouvelle visite de ses gens. C'était au mi-temps de la nuit. S'étant levé prestement, père alluma la mèche et s'avança, prêt à entamer l'une de ses folies. « Sur pied, Fils ! » furent ses premières paroles. Me dressant alors sur ma paillasse, je n'aperçus d'abord, Monsieur le juge, que sa silhouette géante se dessinant devant la fenêtre. Mon œil s'accoutumant bientôt à la lueur faible de la lampe, j'embrassai plus aisément le détail de sa personne et notai la démence sur son masque. De sitôt, j'estimai : « Par le diable ! Ce sont encore ses gens ! Mais ces affreux-là n'ont-ils aucun respect pour le roupil humain ? » M'expédiant à la face mon accoutre, père dit par suite : « Parnoir ! Enjambe ta culotte, et suis-moi ! »

Cependant, père était sorti et commençait à éviscérer le premier de la paire de faons achevés le jour d'avant, puis remisés contre la barrique. Je m'en fus le trouver, et le questionnai : « Du diable, Père ! Pour quel motif t'escrimes-tu sous pareille heure à l'évidement de ces bêtes ? Estimes-tu donc qu'elles recouvreront vie puis démarreront avec allure par-devers les boqueteaux ? » Pour tout répons, père dégaina un coutelas de son ceinturon et l'envoya se ficher dans le sol à mon pied. « Étripe celui-là ! » fit-il mauvaisement, désignant de son menton le second animal. Frémissant tel le bouleau trembleur, je m'établis sans plus un mot.

J'entaillai pour commencer la peau sous le col, engageai le tranchant dans les chairs, puis formai un sillon jusqu'au bas-ventre. Écartant par suite couenne, musclures et ossements, je glissai mon coutelas dans la panse et me mis à racler la cloison, dégrafant au passage boyaux, crépine, fraises, conduits et tubulures. Je complétai en ramassant les humeurs qui s'en échappèrent. Vint par suite l'étape de videment du casque, que j'entrepris en tailladant depuis le col jusqu'au menton, puis par écorchade minutieuse jusqu'au sommet du front. Je prélevai bientôt cervelle, plomberies de carafon, matières et sièges d'entendement. Le dos, le flanc et les pattes pâtirent du même sort. J'obtins à la fin un monceau d'ossements et d'entrailles expertement séparés du cuir. Puis je commençai à hacher, à trancher, à tailler et à former en rosbives, ronds-de-bif, gigottes, gâteaux et pulpes-à-ragoûtes les fruits obtenus de ma besogne.

L'étoile de l'aube paraissait quand nous terminâmes nos étripements. Néanmoins je démêlai dans l'œil de père qu'il était toujours possédé par ses maudits visiteurs. Il émit alors ce mandement, qui aujourd'hui encore me refroidit l'échine quand j'y rumine : « À présent, passe cette dépouillade, Fils ! » Je protestai prestement. « Quoi ? Glisser ma personne sous ce cuir encore moite de ses beurres ? Mais, Père, aussi bien exiger de m'allonger dans quelque crottin de vache ! » Sa repartie, détaillée et tonitruante, tonna jusqu'aux confins de la forêt. « Fais ce que je prescris ! » tonna-t-il crasseusement.

J'entrai donc sous la peau du chevrillard. Père fit semblablement avec la bête vidée par ses soins. Puis, j'entendis le son encaverné de sa voix qui, sous le cuir de l'autre animal, ordonna : « Talonne-moi, et singe-moi ! »

Nous errâmes par les sentes un long moment, fagotés de nos bêtes vidangées et pendouillantes, mimant les attitudes du chevrillard. Je ne savais où père nous menait ainsi, mais je me gardais de rouspéter, me contentant de l'exaucer et de le serrer de près. « Père aurait-il basculé pleinement dans la démence ? Son intermittente indisposition se serait-elle modifiée en déraison pure et continue ? » Tels étaient mes pensers, tandis que je trottais par-derrière lui dans l'obscurité pâlissante du haut matin.

Nous arrivâmes à la fin au mont Tondu. Nous le grimpâmes, toujours vêtus de nos peaux, sous le trait rose des premiers rayons. Parvenus au sommet, nous stoppâmes notre trot et contemplâmes par les trous d'yeux des dépouilles la forêt s'étendant en contrebas, telle une chevelure. Père dit à ce moment : « Pose là ta dépouillade ! » J'obéis de sitôt, par trop ravi d'alléger ma personne d'un tel poids, et aussi de blairer enfin la bise plutôt que les effluves faisandés du cuir. Père fit de même, et ajouta : « À présent, réunis les flancs de ta bête, et couds-les pour qu'on ne s'avise plus de leur désunion. » Sans rouspet ni râlement de nulle manière, sans question ni sondage sur le dessein de père, je m'en fus quérir une pique d'aubépine, formai ample fil de sphaigne, puis m'affairai à raccommoder le ventre de mon animal. Père me toisait comme le geôlier l'eût fait d'un reclus. Je percevais à mon pied la chaîne de son empire. Mais j'avais peine à démêler son âme. Mon labeur fini, père ordonna ce qui suit : « Paille-le ! » J'allai donc déplanter quantité de polytric, de dicrane et de sphaigne, rebroussai au chevrillard puis entamai de le bourrer par les trous de blair, d'yeux et de train. Il fut bientôt tant et si bien gorgé qu'il put tenir debout et quasiment adopter la posture de l'animal vif. Par suite, père me commanda de répéter les mêmes gestes sur l'autre dépouille. Ainsi je reprisai le cuir qu'il avait porté en forêt, puis le bourrai jusqu'à l'empli. J'obtins de la sorte une paire d'animaux certes paillés, mais paraissant proche de décamper tant leur dégaine évoquait celle de leurs semblables vifs.

Père prononça alors ces paroles détestables : « Tu stationneras seul, ici, dissimulé dans les mousses, jusqu'à ce qu'un faon de chair et d'os s'avance, attiré par ces guignols. Puis tu le juguleras de la seule force de tes mains, et t'en rebrousseras à la cabane avec son cadavre. » Ma réplique fut ainsi : « Quoi ? Mais, Père, tu conçois comme moi qu'il peut se couler des jours et des lunes avant que semblable affaire n'advienne ! Il se pourrait que je stationne ainsi sur le mont Tondu des laps, des durées, des époques et même des âges ! Qu'adviendra-t-il de ma personne, sans recours à me loger, m'échauffer, me repaître et me breuver décemment ? Oh ! Père, pourquoi tant de fureur et d'aveuglement siégeant sous ton casque ? »

Mais la bise seule répondit.

« Tu souhaites donc m'achever ? » ajoutai-je faiblottement, non sans afficher misérable mine. Mais déjà père s'ébranlait, s'affairant à son rebours à la cabane. C'est alors que me naquit une idée : et si je tâtais de le ranimer, de le rebrousser soudainement à l'entendement ordinaire ? Un heurt, une stupeur ne pourraient-ils le rendre à une conduite plus proche du commun ?

Je l'abordai.

Le toisant dans l'ivoire de l'œil, je comprimai les poings et les lui expédiai avec force l'un suivant l'autre dans la face. Père, malgré son âge important, reçut ma brossée comme une tarte de jouvenceau. Il ne broncha que brin.

Sa riposte fut terrible.

Il m'enfonça premièrement son pied dans l'estomac. Quand je fus plié sur la terre à rechercher mon souffle, il me fit embrasser le mont Tondu en me mêlant les gencives au sol par forte pression de sa main sur mon col. Je goûtai par suite de sa savate, mon flanc en accusant l'encontre pendant une durée qui me parut interminable.

Un laps coula. Recouvrant peu à peu le sens, je lorgnai père au travers du brouillard répandu en mon casque. Je m'efforçai de m'instruire si au moins à présent ses gens l'avaient déserté. Je notai à sa prunelle qu'il n'en était rien : père était plus que jamais en proie aux requêtes démentes de ses démons. Je l'aperçus bientôt regagner la sente, puis se fondre à la forêt.

Aujourd'hui encore, je ne sais évoquer ce séjour sur le mont Tondu qu'avec vive frissonnade. J'y coulai des jours et des jours, tapi dans les lits de prêles avoisinants, guettant à toute heure l'abord d'un faon. J'avais à cœur d'exaucer père, car je concevais qu'il ne me recevrait jamais plus à la cabane que si j'y rebroussais avec le cadavre qu'il escomptait. Me montrant à lui sur notre seuil sans le faon trépassé, j'aurais assurément goûté de sa foudre. Peut-être même n'y aurais-je pas surduré. Aussi bien alors n'y plus jamais refluer, et m'en aller subsister solitairement et pour perpétue, tel le loup endeuillé.

Or, j'ambitionnais de retrouver père. D'où me venait que, malgré ses cruels mouvements à mon endroit, je le chérissais cependant plus que l'existence même ? Était-ce là l'effet puissant et impénétrable de la lignée ? Le sang qui course dans nos veines est-il à ce point porteur de sentiment ? Mystère de nos jours ! Diablerie de la naissance, de la souche et de la famille !

À ses heures les plus hautes, le soleil me cuisait le cuir. J'avais beau être abrité de ma chevelure, le trait s'y faufilait jusqu'à me torréfier le sommet du casque.

Mon vêtement non plus ne me secourait guère, le feu du soleil s'y mêlant avec tant d'ardeur que je paraissais rissoler sous la fibre de la défroque. J'adoptais alors la nudité, ce qui condamnait l'entièreté de mon corps à plus funeste sort encore. Mais il arrivait aussi que le grain crève et que je moisisse sous sa trombe ruisselante des périodes durant. Ou sinon, c'était la frisquetterie de la nuit qui me mordillait les membres, et je devais pour y parer me briquer tant et tant la peau que j'y imprimais plaies et bleus. Me repaître n'était semblablement d'aucune sinécure, et souventes fois je fus réduit à croquer le hanneton, la chenille et le ver, ou pire encore à lécher avidement la fourmilière. Je devais aussi, pour m'éviter le dessèchement, breuvoir de ma propre pisse, puis pâtir par suite de mille crampes et conflits ventraux. Enfin, noctantement surtout, des bêtes sauvages venaient me visiter avec le projet de me dévorer. Le bruit de leur pas et de leur reniflade intéressée me tirait d'un roupil fiévreux, affreux, peuplé de songes effrayants, où le visage menaçant de père paraissait, crachant les asticots que j'avais moi-même avalés durant le jour. Par suite de mon éveil brusque et affolé s'engageait un bref combat avec l'animal, au terme duquel il s'enfuyait, me laissant sans souffle et sans force, plus misérable encore qu'antérieurement.

J'implorais mère de paraître. Elle seule, de son tranquille regard, aurait su me fournir réconfort. Je l'appelais, ma voix affaiblie s'élevant à peine ci-dessus le chaume des prêles. Et quand le ressort me quittait et que je ne pouvais plus former ni parole, ni son, j'orientais mon toisement et mon discours vers l'intérieur de ma personne et continuais à convoquer mère. Mais jamais elle ne parut.

Puis, un soir, j'aperçus non loin un faon grimper puis arpenter le mont Tondu. Le voilà dans l'avoisinance des guignols. Il allait avec l'imprévoyance de la verdeur, reniflant plaisamment les dépouilles comme si elles avaient été ses sœurs vives. Allongé, à demi nu et mourant presque sur mon lit de mousses, j'agroupai mes forces restantes afin de mettre au point mon manège. Ma méditation allait ainsi: «Comment diable capturer, puis juguler ce chevrillard avec le brin de fougue qu'il me reste encore?» Rien ne me venait, et tout mon casque résonnait de ce vide-là, comme lorsque la cuillère heurte la marmite désemplie de sa soupiasse.

Peut-être au fond est-ce seulement à cet instant que mère parut, ou du moins me rendit mes appels. Certes non pas visiblement, par la médiation de l'œil – car je ne la toisai nullement –, mais bien plutôt par sa simple présence ténébreuse et son conseil secret. Car je formai subitement ce dessein: ne pas même remuer d'un pet de mosquite, mais singer le roupil et escompter que l'animal vert et fouinard vienne me renifler.

Mon escompte s'avéra : je sentis bientôt la chaleur d'une truffe sur ma chevelure. Aussitôt, je pris vie et rassemblai promptement volonté, nerf et sève et grippai avec violence le faon au col.

De toute mon existence, ce fut le laps le plus surhumain à mener. Couché sur le flanc, enserré au plus près par mes bras, l'animal se braquait et se rebiffait à grands coups de tordures. L'étreignant de la sorte, espérant son rapide trépas, je souffrais par mon corps innombrables douleurs. Je déroutais de mon mieux mes esgourdes des bruits secs de déchirures et de bris émis par mes entrailles et ma carcasse. Je fermais les yeux semblablement, par effroi de percevoir pendant l'assaut mes humeurs se répandre et se mêler à la terre. Ma mâchure se serrait, chacune de mes musclures se tendait tel le nerf propulsant la flèche, ma denture même crissait horriblement. Cependant le chevrillard tenait bon sa vie, tandis que je me vidangeais peu à peu de la mienne. Ses sabots labouraient et soulevaient la terre, ses yeux quittaient quasiment leurs trous, et je pouvais sentir le souffle hargneux s'échapper de sa truffe. « Vivre ! Vivre encore ! » paraissait-il criailler. Et moi : « Tenir ! Tenir ! » Ce mot-là emplissait mon casque et ma bouche. « Tenir ! » Et ce n'était plus moi qui prononçais cela, mais mes viscères elles-mêmes, mes charpentes, toutes parties me composant.

À l'instant où j'allais renoncer, j'entendis ces paroles prodigieuses, venant de la forêt proche : « Mère ! Mère ! Prête à ton fils la puissance dont il est dépourvu ! » Puis quelque chose craqua. Le faon connut dès lors un ultime soubresaut, puis expira enfin, le col brisé par mon étau.

Je stationnai longuement tel qu'ainsi, à mi-chemin du trépas, mon corps jouxtant le cadavre, ma chevelure troublée par la bise. Je ne songeais de rien. J'étais désempli. Le soir vint tout à fait, puis la nuit, puis le jour, et encore le soir. Le sens regagna peu à peu mon casque, et toutes machineries me concernant recommencèrent à s'activer. J'observai les étoiles poindre, la déesse Lune s'avancer.

Je songeai alors mollement : « Qui donc, tapi hier dans la forêt, s'adressa à mère de la sorte pour l'implorer ? Frère ? Aurais-je donc un frère ici-bas ? » Je me levai avec ce que mes forces permettaient encore d'ébranlement, descendis débilement en forêt et fis, pour la première fois depuis long de temps, un repas soutenant, formé de racines et de baies. Je fus ainsi pendant une durée, immobile de gestes mais non de pensers. Peu à peu mon sang fit son ouvrage et redonna quelque ressort à mon corps. Ainsi recouragé, j'entrepris par suite d'explorer l'environ afin de débusquer ce frère que je soupçonnais et qui, sans doute, m'avait sauvé la vie. Je circulai en forêt toute la nuit, hélant sans relâche mon parent. Mais le jour naquit sans que j'aie pu le connaître.

Je mijotai une bouillade de garenne, que j'avalai, l'esprit gorgé de délibérations. Je rebroussai au mont Tondu, considérai un moment le cadavre du faon. Puis je l'établis sur mon échine et entamai mon rebours auprès de père. Sur la sente, je concevais à présent l'inexistence de frère, oui, je la concevais. Puisque c'était moi, uniquement moi, dans un accès de démence et dans un ultime effort pour éviter de toquer pour ainsi dire à l'huis de l'outre-monde, qui avais prononcé l'autre fois ces paroles à l'endroit de mère.

Le jour était à son mi-temps quand j'aboutis à la cabane. Père cuisait le repas ci-devant le grand hêtre. Je l'abordai, le lorgnai un moment dans le regard. Il fit de même. De tout son corps, nul sentiment ne transpirait. Tout en préservant mon œil dans le sien, j'inclinai l'échine et fit choir l'animal désanimé sur le sol. Mon discours fut ainsi ramassé : « Me voici rebroussé, Père. » Il quitta mon regard et commença à considérer préférablement le cadavre. Défouraillant son coutelas, il transperça le col de l'animal. Des humeurs s'épandirent. Père trempa les doigts ci-dedans, puis s'en mouilla la lippe. Relevant l'œil, il me dit par suite : « Tu as bien fait, Fils ! » Et le voilà maniant encore son coutelas et démembrant déjà le chevrillard.

Une durée coula, où j'étudiai père étriper l'animal et en extraire matières à cuire. Je risquai bientôt cette demande : « Qu'as-tu formé pendant mon absence ? » Et lui, ne cessant en rien son labeur d'écarnage, ne quittant guère des yeux non plus son ouvrage : « J'ai dévoré la viande et le lard nouveau des chevrillards guignols. Tu devrais faire semblablement de ces carnes-ci. Ainsi serais-tu toi aussi détourné du trépas. »

Je restai sans causerie, la face égarée dans le songe. Puis je le questionnai de telle manière : « Pourquoi m'as-tu contraint à presque rendre l'âme au mont Tondu ? » Sa réplique tarda, cependant qu'il découpait une rosbive. Une mouche vint sur ma main. Les feuilles du tremble bruirent. L'alouette échauffa le nid. Père dit enfin : « Ta mère avait la grâce et la verdeur du faon. Il fallait, usant de manèges et de trucs, capturer cette grâce et cette verdeur. À présent, Fils, pose ton train sur ce taboureau et engloute avec moi cette carne et ce lard nouvellement découpés. »

Mais avaler carnes et beurres ne lui suffisaient point, et toujours rebroussaient ses effrois quant au trépas. Une nuit, je fus extrait du roupil par une criaillerie à faire dresser chevelure. J'estimai d'abord que père était la proie de cauchemars. J'eus alors ressouvenir de son enseignement, aux temps de ma verdeur, concernant cette sorte de songes malvenus : « Tout cauchemar pénètre la cervelle par les esgourdes, Fils ! Aussi, lorsque ces songes de démons te saisissent, scelle bien ces esgourdes-là de tes mains, ainsi que bouchons de cruche ! » De ma paillasse, je lançai donc cette directive, escomptant que mes paroles perceraient le roupil de père et atteindraient son casque : « Père ! Te voilà le jouet de songes détestables ! Scelle tes esgourdes ! Scelle tes esgourdes ! » Mais mes efforts restèrent sans fruit. Père persistait dans sa gueulerie. Cependant, je le vis bientôt quitter sa paillasse et commencer d'arpenter la cabane, non sans émettre encore couinements et hurlades. Pénétré d'alarme, je me représentai alors que ses gens reparaissaient. Me dressant sur ma couche, je m'exclamai : « Père ! Tes gens sont de rebours ! Voici qu'ils te possèdent ! » J'enfilai par suite ma culotte, enflammai la mèche et m'empressai d'aborder père, lui grippant les poignes et le forçant à me toiser dans la prunelle. « Bataille ! Guerroie contre ces importuns-là ! Ne les laisse pas conquérir ton casque ! » hurlais-je. Mais père, coléreux, se détournant un courtaud instant de son état, répliqua tel qu'ainsi : « Égarerais-tu l'entendement, Fils ? Parbleu ! De quels gens causes-tu donc ? Contre qui m'engages-tu de quereller ? Ne pénètres-tu pas que mes criailleries ne sont que le fruit d'une ample frayeur ? » Éprouvant son dire, je le questionnai en cette manière : « Mais, alors, quelle est au juste cette terreur formidable que tu exprimes ? » Et lui de repartir, tout à la fois maussade et hagard : « C'est que, cette nuit, le roupil m'esquive et je ne cesse de me représenter en l'état de macchabée, errant dans l'outre-monde effrayant ! Oh ! quelle infortune que de devoir sortir un jour d'ici-bas pour pénétrer le domaine des monstrueux ! »

Je relâchai doucettement les poignes de père. Lui, de sitôt libéré, s'en fut s'effondrer sur le tabouread puis commença à déverser son pleur. Ce tableau me remua jusqu'au plus épais de ma personne : à part au moment du trépas de mère, c'était la première fois que j'apercevais père pleuroyer avec autant d'abondance.

Je m'en fus tirer l'autre tabouread et m'établir auprès de lui. Nous restâmes une longue période ainsi postés, lui se répandant comme rivière, et moi recherchant quelque discours d'apaisement. Durant ce temps, des avis me vinrent. Je songeais aux trépassés que j'apercevais parfois. « À la vérité, aucun de ces quitte-la-vie n'éveille quelque crainte que ce soit » me disais-je. Puis : « Et si père s'instruisait à voir les trépassés ? Peut-être moi-même pourrais-je tâter sur lui semblable enseignement ? Ainsi, il entendrait bien que l'outre-monde et ses occupants n'ont rien de plus terrifiant que l'ici-bas. » Je stationnai encore long de temps sur le taboureau à balancer ce dessein, tandis que père s'était remis sur jambes et avait repris ses rotations autour de la table, non sans geignements et autres marques d'affres.

Sortant à la fin de songerie, je me campai ci-devant lui et déclarai : « Père, m'est avis que tu te dois, par mon école, de percevoir les trépassés ! » En répons à ce discours, père serra la denture et émit par elle amples crissements, et son visage aussi s'énerva, affichant débravourement. Tâtant par suite de le mener à raison, je précisai : « Pèse un peu, Père ! Moi qui toise les défunts depuis l'âge de verdeur, en aucun jour n'ai-je entraperçu chez eux quelque tableau excitant l'effroi ! Jamais ne me suis-je vu trembleur au moment de mes encontres avec les macchabées ! Et même, j'ai presque senti à leur abord grande calmerie. Presquement, aussi, une assurance de quiétude pour l'heure promise de mon propre repos. Et à dire vrai, une seule devinette persévère toujours ci-dedans moi à leur propos : pourquoi affichent-ils pareille tristesse puisque, tout pesé, l'outre-monde ne paraît pas un lieu si terrible où séjourner ? Mais j'escompte un jour venir à bout de cette devinette-là, assurément, assurément. »

Quoique grandement apeuré, père prêtait esgourde à mon prêche. Il allait et avançait, rebroussait, puis redémarrait avec fièvre de tous côtés de la cabane, cognant au passage un membre sur une cruche d'eau-de-genièvre, chavirant la pelle, ou emboutissant taboureau et paillasse. Ses mains se briquaient l'une l'autre par trop d'émeute intérieure. Sa face se tordait, sa lippe souffrait nombre de morsures, son sourcil s'élevait puis ravalait de sitôt. Au bout d'un moment, sa tremblerie alentit. Il parla : « Mais comment mèneras-tu donc pareil dessein, Fils ? Conçois-tu réellement pouvoir me professer semblables diableries ? » Puis, imprimant pour ainsi dire sa face sur la mienne, il devint plus enquêteur encore : « Et toi-même, au reste, peut-être es-tu le démon en personne, ou sinon son estafette ? Peut-être cet enseignement que tu prêches n'est-il qu'intrigue pour m'expédier au plus vite en patrie des monstrueux. Qui me dit que mon propre fils, qui peut ordinairement voir macchabées et suites, n'est pas comparse de ces horribles-là, et ne recherche pas à recruter parmi les vifs ? »

Je me hâtai de le détourner de cette conception : « Mais, Père, si j'étais, tel que tu le proposes, valet du diable, ne percevrais-je pas le diable lui-même, avec sa queue roussie, traînant par-devers lui ses marmites où cuire damnés, haïssables et réprouvés ? Or, je le serine : en aucun jour n'ai-je entraperçu pareille chose, ni quelque motif d'affres. »

Ce discours commença d'amollir le frein de père. La nuit continua d'avancer. Je fis semblablement dans mon argumenterie. Le jour pointait quand j'eus raison de ses dernières résistances : il fut tranché que ce jour même serait celui de sa première leçon.

Ce n'est assurément pas sans répugne qu'il s'accorda à mes mandements. Depuis l'instant de mon déclenchement en cette vie, je n'avais cessé d'être sous l'empire de père, de jouer l'apprenti. Voilà que les emplois s'inversaient et que je brocantais ce rôle pour celui du maître, cependant que père prenait celui de l'élève. Il lui fallut quelque sursis avant que de concevoir ce personnage nouveau. Les premières journées de mon enseignement me valurent souventes fois brossées et mornifles, embrassades de sol par gencives et même savates au corps, car père ne blairait guère qu'on lui dicte conduites. Beaucoup d'occasions se renouvelèrent où je fus forcé de lui ramener en casque mon dessein. Je le suppliais: « Père, il faut te plier à mon école, malgré ta déplaise. Sans quoi ton effroi de l'outre-monde ne tarira qu'à la saint-glin-glin. Est-ce là ce que tu ambitionnes? D'aborder ton moment dernier encore tout aussi trembleur que fillette égarée noctantement en forêt? » À la longue, mes argues firent profit, et père, quoique bourrelé d'acrimone, se rangea à mon gré.

Comment perçoit-on les macchabées ? Pourquoi paraissent-ils ? Où donc se situe l'outre-monde ? Peut-on y entrer et en sortir comme d'un moulin ? Pourquoi les vifs ne possèdent-ils pas tous unanimement le don de percevoir les outrepassés ? Quel est le motif de la tristesse lue sur la face de ceux qui séjournent en contrée de disparus ? Peut-être étaient-ce objets qu'il m'aurait fallu démêler avant toute chose. Mais il me paraissait que père était en nécessité d'exercice concret plutôt que de méditation. Je l'instruisais donc en cette direction, lui serinant une loi persistante : « Il importe en première vue, lui affirmais-je, de concevoir que les trépassés ne paraissent jamais qu'au moment le plus improbable. Tu les apercevras souventes fois à l'instant où tu usines quelque soupiasse, sinon cependant que tu abordes le roupil ou que tu circules insoucieux sur la sente. » À ce discours, père me lorgnait curieusement. « Forbanterie ! s'exclama-t-il une fois. Ces affligeants-là n'ont-ils aucunement le sens du savoir-arriver ? Ainsi devrais-je augurer de leur visite mêmement que je ne la souhaite point ? Qu'est-ce donc que pareils gueux ? Des marchands de savonnettes ? » Et le voilà tout orageux, allant et venant ci-devant le grand hêtre, aplatissant aralies et dalibardes sur son passage et imprimant piste circulaire de ses pas.

Je le pliais à des essais, auxquels il se réduisait toujours avec scepticisme. Mais peut-être aussi cette défiance n'était-elle pour lui que truc pour berner son alarme, et de la sorte n'apercevoir jamais les êtres qu'il continuait cependant de redouter. J'applaudissais toutefois que père ne fût somme toute que dans de si placides dispositions. Qu'eût-ce été si ses gens lui étaient venus en ces jours-là ? Car ma tourmenterie était que, par quelque guigne, père aperçoive du même coup et ses gens et ceux de l'outre-monde. Qui sait quel aurait été son mouvement ? Aurait-il d'entrée subi accès ou attaque fatale de corps, et rejoint l'outre-peuple en même temps qu'il y aurait traîné ses gens ? Et les gens de père, une fois sortis d'ici-bas avec lui, comment se seraient-ils comportés ? Se seraient-ils montrés par suite aux vifs, ainsi que tout défunt normal ? Je nourrissais pareilles tracasseries.

Mais ces méditations ne freinaient guère mon enseignement. Une matinée, je parlai ainsi : « Les morts viennent lorsque nous n'y songeons point. Aussi n'y songerons-nous pas aujourd'hui. » L'ayant avisé de cela, j'enjoignis père de commencer son labeur ordinaire et de ne se soucier en rien d'autre chose que de la coutume. Il m'exauça, affichant soulagement sur sa face, réjoui de délaisser enfin la matière des morts. Je le vis par suite s'établir sur le seuil et s'affairer à la confection d'un attrape-loutre. Déjà père était rebroussé en ses secrètes contrées de silence. Grippant la pelle, je le singeai aussitôt et commençai de chercher racines.

Un temps coula, que nous ne vîmes guère, tant le labeur nous confisqua à nous-mêmes. Dans un trait de soleil, mère parut soudainement, se frayant chemin à travers branchottes d'arbouse et raisins d'ours. Laissant là ma besogne, je toisai mère dans les yeux. J'y vis encore mélancole, et fus près de la questionner sur cette matière. Peut-être aurait-elle pu alors, par gestes et signes, m'enseigner de ces choses-là. Mais il me revint que j'avais plus impérieux à faire : « Père ! Père ! soufflai-je. Lorgne un peu du côté de ce boqueteau d'arbouses ! » Père déconsidéra sa ratière, souleva le regard et embrassa le boqueteau, puis pareillement tout l'à l'entour. « Quoi ? fit-il par suite. Aurais-tu reniflé la course d'un raton ? »

Ainsi, malgré nos exercices encore frais, son œil ne servait de rien ! Des jours durant j'avais peiné, tentant d'aiguiser ses facultés d'observation, le forçant à pressentir autres sujets que gibier s'approchant, à s'absorber d'autres matières que bourrasques et grains grossissant, eau-de-genièvre gargouillant dans l'alambic, débroussaillement de sente, ingestion de barbaque et de lard nouveau, étripement de bêtes ou abîmement dans le roupil ! Des jours durant, pour l'éprouver, j'avais commandé à père exercices, manœuvres et devoirs, lui faisant ainsi leçon de l'art d'entrevoir l'outre-peuple. Autant de besogne inutilement menée !

Cependant mère s'avançait. Elle ne fut guère longue à gagner l'abord de père. Je la vis s'établir sur la végétation croissant par-devant notre seuil, et commencer avec ample quiétude d'étudier son compagnon d'anciennement. Mais malgré qu'il eût mère campée sous le blair, père n'en distinguait que paille et continuait d'escompter la venue sur nos terres de quelque rongeur. « Et alors ? clamait-il, exhibant à bout de bras sa bricolade. Par où vient-elle donc cette bête, que je l'encoffre dans mon grippe-putois ? » Dominant avec peine mon bouillonnement, je criaillai quasiment, allongeant la main vers lui : « Là, là, ci-devant toi, Père ! N'aperçois-tu pas mère séante ? » Mais il ne percevait que vide, trou et désert. S'instruisant toutefois par moi de la présence d'un outrepassé dans son environ, il se dressa tout à coup, empoigné de panique. « Un macchabée ? Un macchabée ? Où ça ? Racaillerie ! Grain d'orage ! Et tu prétends que cet atroce-là m'avoisine ? » Et le voilà lâchant tout et commençant à longer la cabane, l'échine léchant le mur. L'effroi, Monsieur le juge, se lisait sur sa face blanchie suprêmement. Ses mains aussi exprimaient une alarme majeure par la trembloterie qui les agitait comme ailes de papillon. Je crois mêmement que père pissa en culotte. Cependant, il clamait : « Où est-il, Fils ? Parnoir ! Où est le macchabée dont tu m'entretiens là ? Où est-il que je ne trébuche sur lui quand je détalerai dans un moment ? » Ainsi concevait-il les morts : comme obstacles ne servant qu'à faire trébucher les vifs dans leur course.

Puis il se transporta hors de regard aussi prestement que garenne traqué.

Mère et moi restâmes seuls. Je m'approchai paisiblement, et m'établis à son abord sur l'herbe. J'émis quelques plaintes à propos de père. Je dis : « Malgré mes soins, père demeure toujours aussi effaré ci-devant la mort. En ceci il est indécrottable. C'est comme lui prescrire de ne plus avaler d'eau-de-genièvre : aussi bien édicter au hibou de cesser de circuler noctantement dans ces bois. Chose infaisable. »

Mère posa long de temps son regard triste sur ma face après que j'eus prononcé ces mots. On eût dit qu'elle aspirait à parler à son tour. Mais mère était morte, et je savais fort bien, depuis le temps que je coudoyais les morts, qu'aucun d'entre eux ne devise jamais. Aussi poursuivis-je : « Et puis, père a beau toiser et retoiser, il n'aperçoit rien de rien du peuple de l'outre-monde, dont tu fais depuis jolie lurette si muettement partie. » Par suite, je restai un laps dans le silence, tout songeur et pénétré de mes tentatives des derniers temps auprès de père. Mère paraissait attendre la suite de mon discours. Je repris donc : « Voilà matière bien énigmatique. Car, enfin, malgré qu'il fût arrivé ici-bas muni de regards perçants, de sens pointus comme bec d'aigle et d'entendement remarquable, je m'instruis aujourd'hui seulement combien père souffre d'autre part d'aveuglade et de sourdisme. Je conçois ainsi que, bien que possédant toutes sciences, père fait figure de jouvenceau en matière de déchiffrement de l'invisible. En cette matière, à dire vrai, et par quelque prodige formidable, seul le déchiffrement des astres, en lui-même pourtant fort mystérieux, lui paraît aisé. Père est un abîme. Je ne puis le sonder. »

Je vis alors l'œil de mère creuser le mien plus intensément, puis sa main venir se poser finement sur ma face. Je scellai mes paupières. Des visions et des pensers me vinrent. J'aperçus en mon casque, se jouxtant, l'image de père, puis la mienne. Je vis ainsi père doté de ses nombreux talents de chasseur, de preneur de poisson, d'allumeur de feu et de lecteur d'astres. Je le vis aussi démembrer expertement quelque bête et se mettre à l'échauffement d'une escalopette ou d'un bif de putois. Je le toisai long de temps allant et venant lestement par sentes, puis ascensionnant hêtres, chênes et ormes pour étudier le grain lointain. Et puis je le voyais s'épouvantant à l'idée de l'outre-monde, et prier avec force la déesse Lune de le retenir ici-bas encore un brin, de lui accorder sursis et force suffisante pour vivre encore quelque durée. Je le voyais prendre jambes au col lorsque le cyclone s'avançait. Enfin, je saisis l'image de père palabrant avec ses gens et effectuant pour eux les actes les plus bizarres, tels qu'ils ont été narrés par-devant vous, Monsieur le juge, et ci-devant votre face aussi, Membres du jury de ce tribuneau.

Je voyais tout cela, pour ainsi dire, d'un seul côté de mon casque. De l'autre, je m'apercevais moi-même, tout contraire : adroit, quoique modestement doué tant pour chasse qu'emparement de poisson, certes sachant lire points cardinaux et écoulement de saisons, mais analphabique complet quant au livre céleste et ignorant tout des coutumes du vent. Je m'instruisais également que j'étais peu habité par l'entendement ou par d'autres formes de lumières. Mais en compensation, le dessin intérieur que je me faisais de ma personne était celui d'un bourgeois miséricordieux, débordant d'une pétulante sensibleté pour l'humanité, observateur habitué de l'invisible, familier de la mort et ne redoutant en rien les gens de l'outre-vie. Me rappelant la joliesse de Manon encontrant la disgrâce de ma face, je pensais : « Par quelle diablerie une paire de natures si adverses que la mienne et celle de père peuvent-elles s'avoisiner de si près ? » Farce de la race ! Mystère du sang transmis !

Mais pourquoi mère me donnait-elle à voir pareils contrastes ? J'incline aujourd'hui à ce penser : ce fut pour elle occasion de me peindre le monde en son entièreté, et d'en changer l'image fausse que j'en possédais. Car la Terre est ainsi faite : abritant sous son ciel et portant sur son plancher humanité innombrable, et bêtes disparates, et paysages divers, et toutes choses bigarrées formant, une fois agroupées, le domaine de la vie. Aussi mère me faisait-elle entendre que j'étais à ma façon aussi piètre toiseur que père, et qu'il me faudrait encore m'aiguiser l'œil. Car, enfin, ne faut-il pas posséder claire pupille pour voir amour, ainsi que je l'ambitionnais ? Mère, à l'évidence, concevait cela et me le rappelait aimablement.

À la fin, n'éprouvant plus ses doigts sur mes paupières, j'ouvris le regard. Mère n'était plus séante. Où avait-elle fui ? La forêt ne bruissait pas, non plus que l'air. Une averse vint, qui baigna promptement la terre, puis cessa aussitôt. Le soleil perça les cieux, ouvrant sa route à l'alouette.

Le monde pleuroyait et chantait tout à la fois.

Nombre de soleils coulèrent. Rien ne survenait plus des folies de père: ses gens semblaient avoir déserté son casque. Je le trouvais quasiment chaque jour de fort bon poil, accomplissant nos tâches le plus paisiblement du monde, tout pénétré de son silence coutumier, vaquant à toutes choses de son geste rustre mais judicieux, ce qui me paraissait le signe assuré de son retour à la santé. Rares étaient les fois où je devais endurer ses foudres. Et à la vérité, à part quelques broutils, pas une seule fois en ces jours-là ne fus-je astreint à avaler la soupiasse aux fourmis, ou ne reçus-je le pied de père sur le train, ou, de même manière, ne subis-je de lui quelque grand punissement que ce soit. Les jours à la cabane prenaient une couleur guillerette. Je respirais. J'allais, étourdi et superficiel.

Mais c'était là montrer un optimisme insoutenable et avouer une fois encore le peu de perspicacité séjournant en ma personne.

Le jour vint en effet où père bascula de nouveau dans le trou de la démence. Je m'esquintais encore, ce matin-là, à lui faire apercevoir les morts. Je lui parlais avec détails des outrepassés, et père, établi sur une souche, devait ouvrir grandes ses esgourdes et résister à son envie de les bouchonner. Tel était l'exercice auquel je l'avais cloué. Certes, la sueur lui gouttait sur la tempe. Ses mains se tordaient et ses genoux, parfois, venaient toquer l'un sur l'autre à la façon du pic sur l'arbre. Sa denture s'agitait semblablement. Quand il était d'avis que mon discours outrepassait les bornes, père quittait la souche et, d'un bond de garenne, se mettait sur pied puis venait me mettre une mornifle. Mais ce n'était que rareté : le plus souvent il tenait bon.

Advint un événement. Tandis que je discourais par-devant père, nos esgourdes furent emplies d'un bruit singulier. C'était une criaillerie sèche et brève, assurément sortie du gosier d'un bourgeois, serrée de près par le bruit d'un cordage soudainement tendu. Père et moi laissâmes séance tenante notre exercice et commençâmes à ruer nos personnes vers le lieu d'où avait émané le bruit, avoisinant du grand pin à peu près.

Nous y arrivâmes bientôt, soufflants et curieux comme loutres. Ce que nous vîmes nous laissa tout abasourds : accroché à une branche par le col, un bourgeois oscillait sous le grand pin telle une pendeloque, sans vie, sa langue dégainée de bouche en une simagrée détestable. Surmontant sa surprise, père s'en fut décrocher le mort. D'un coup de coutelas, la corde fut brisée et le bourgeois chut, s'effondrant, mort et même surmort, sur un lit de russules en une attitude ridicule. Ce qui, un laps plus tôt, était encore un quidam vif et habité n'était plus à présent que sac creux.

C'est à ce moment fort mal choisi que les gens de père rappliquèrent. Je le conçus à sa conduite même : c'était comme s'il cherchait tout à coup à chasser de son environ quelque mosquite importune. Ses mains battaient l'air à l'entour des esgourdes puis s'abattaient à plat, subitement et sans annonce, sur sa face étonnée. Pareillement, son échine se courbait, puis de sitôt se redressait, et ses jambes aussi tressautaient en un frénétique rigodon, paraissant vouloir éviter la bastonnade d'un ennemi immatériel. Enfin, père avait quitté son silence et commencé à distribuer injures et pouilles à ses adversaires cependant introuvables. Nul doute, ses gens rebroussaient.

Aussi, une fois le premier laps coulé et son équerre retrouvée, père manda : « Fils, empoigne ce défunt, et talonne-moi jusqu'à la cabane ! » Redoutant le pire, je ne dis mot, installai le pendu sur mon échine, ses bras formant foulard autour de mon col, et commençai à serrer père au plus près sur la sente menant chez nous.

Sitôt parvenu là, que vois-je ? Père fouillant sous sa paillasse à la recherche de quelque chose. De cet explorement résulte la trouvaille du vieux vêtement de mère. Et voici la voix de père : « Accoutre le pendu de cette défroque ! » Je me roidis tel un gourdin. « Quoi ? clame-je. Tu voudrais vêtir un défunt de l'habit de mère ? Sacrilège ! Hérésie ! Blasphémation ! Aussi bien cracher à la face de la déesse Lune. Mère nous maudira de commettre pareil outrage et, de sa tombe, prescrira de suite notre métamorphose en crapauds ! » Père ne prisa pas ce discours. Me grippant la clavicule et m'enfonçant ses doigts griffus et puissants entre l'os et la pulpe, il me mène dehors par-devant la barrique et m'y submerge le casque tout entier. Je reste ainsi, maintenu en poste par lui, disputant ma vie avec bougui-wougui et danses de Saint-Guy, jusqu'à manquer d'étouffer maximalement. Puis père me ramène à air, et me re-fourre aussitôt sous flotte. Je suspends tout gigotement, résigné à présent à crever là. Lorsqu'il me sait à demi péri, père me sort de là enfin et me reconduit, semblablement grippé par l'os, jusqu'au taboureau. J'entends père seriner impérieusement, avec du mauvais dans la voix : « Parnoir ! Accoutre le pendu, Fils ! »

Reconquérant mollement mon ressort, je commençai donc à costumer le mort. Tandis que je m'affairais à cette tâche, père était sorti filer et nouer quelques brins de lycopode, entremêlés de fougère-à-l'autruche et de sceau-de-salomon. Quand il rebroussa, j'avais conclu ma besogne. Père posa de suite par-dessus la chevelure du pendu son assemblage de lycopodes, ce qui singea avec effrayante ressemblance la coiffure de mère. Il finit l'ouvrage en parant les poignets et le col du mort de menus bijoux ayant autrefois décoré mère. Je pâtis dès lors d'un malaise incalculable : ce mort-là prenait d'un coup l'aspect de mère, du moins en ses généralités. C'était comme si, fidèle à sa coutume, elle paraissait ci-devant moi en provenance de l'outre-monde. Hormis le regard de poisson rôti, le pendu adoptait en presque tous points les traits que je chérissais tant chez mon macchabée favori.

Mais à peine m'instruisais-je de cette ressemblance que père interrompait mon penser. « Place donc, dit-il, le tabouréau ici, puis établis le mort dessus, train sur siège et échine contre mur. Par suite, dispose ses membres afin de mettre tout ce macchabée en posture d'avaleur de pitance, singeant l'attitude d'un bourgeois affairé à prendre repas. Enfin, mitonne pour nous tous quelque mangeaille ! » Je murmurai : « Pour *nous tous*, Père ? » Son répons, réunion du grain et du tonnerre, fut tranchant comme la flèche déchirant l'air : « Oui ! » Je m'affairai donc ensuite à la cuisson d'une ragoûte de marasmes liée de jus d'if, relevée de menues racines et de caïeux. « Et mets-y beaucoup de lard nouveau, parbleu ! » me criaille père, tandis que je suis penché sur la marmite.

Puis vient le moment où c'est cuit. Trembleur, m'effrayant du dessein de père, j'emplis les écuelles, que je place à table ci-devant chaque avaleur. Mais aussitôt que je m'établis sur tabouréau et commence d'engouffrer ma pitance, père cogne sur la table de son poing lourd comme pierre des champs. « Par cieux, Fils ! rugit-il. Qui te mande de manger cette bouffetance ? Reste plutôt stationné et en recueillement par-dessus elle ! Ne bronche ni ne cille ! Fais prière, voilà tout ce que je prescris ! » Je mis donc ma cuillère par côté de l'écuelle et commençai à me recueillir. Je crus d'abord qu'il s'agissait d'évoquer l'image de mère et de ramener ainsi à notre mémoire sa douce face, encore que je m'étonnais qu'une telle pratique dût se faire en présence d'un immigré, trépassé de surcroît. Mais, lorsque père était visité par ses gens, j'avais appris à ne pas le questionner sur ses actes. Aussi baissai-je bientôt paupières pour m'enfoncer plus aisément en état de piété. Mais voici que père cogne de nouveau avec force sur la table, provoquant saut de crapaud chez nos écuelles et cuillères.

« Parjaune ! J'ai dit : ne cille pas, Fils ! » Telles furent ses paroles fulminantes, auxquelles j'objectai faiblottement : « Mais, Père, j'étais pourtant entré en piété et ne mouvais quoi que ce soit sur ma personne. Où as-tu vu que quelque portion de moi-même a bougé ? » Père précisa son penser en ces mots : « J'ai dit : ne cille pas ! Ton œil ne doit pas se clore, tant que je ne l'ordonnerai ! »

De ma vie, j'avais cru connaître les plus rudes malheurs. Mais ce nouveau mandement rivalisait avec tout ce que j'avais traversé jusque-là. Pardonnez mon toupet, Monsieur le juge, mais je tiens pour certain qu'il vous est impossible de concevoir l'extrême torture de ne pouvoir bouger le cil pendant des durées et des durées. Pour moi, roussir à maigre feu sur bûcher eût été moins ardu. Le plus étrange est que père, lui, arrivait sans peine à pareil prodige. Quant au pendu, on concevra qu'il lui était aisé de ne broncher cil, non plus que rien d'autre de sa personne. J'étais ainsi le seul de cette saprée tablée à souffrir picotements horribles, assèchement d'yeux et crises de machineries tandis que dura l'exercice ordonné par père. Combien de temps ce supplice persista-t-il ? Je ne saurais l'attester. Il me semble retrouver ressouvenir d'un parcours complet de soleil en azur pendant que nous restions là, l'œil béant, stationnés et récitant intérieurement prières d'usage.

Au bout d'une période l'exercice se finit. Père lui-même sortit de l'espèce de transe où il s'était fourré. Lorsque je conçus que la séance était terminée, je me mis à ciller démesurément. À chaque battement de paupières correspondait une brûlure sadique. On aurait cru que tisons me briquaient pupilles. Pour couper le poivre de cet incendie, j'enfouis bientôt ma face, yeux grands ouverts, en mon écuelle de ragoûte. Le lait refroidi des marasmes fut comme pansement sur la plaie vive de mon œil. Je restai ainsi posté long de temps, tandis que j'entendais père vaquer autour de moi, retirant au mort sa perruque de lycopodes, le déparant de ses bijoux, le désaccoutrant.

Quand je levai enfin la tête et remis mes yeux en face des choses, j'aperçus que père empoignait le mort et l'établissait sur son échine pour le mener dehors. « Que ferons-nous de ce défunt, Père ? » dis-je, la face encore enduite de lait de champigne et de jus d'if. Mais pour tout répons, père dit : « Viens allumer du feu, Fils ! » Je le suivis donc jusque sous le grand hêtre et fis s'enflammer nombre de nos planches. Quand le brasier fut à son comble, père ne fit ni pompes ni apprêts, et jeta en ce foyer le corps nu du pendu.

Quand il ne resta plus du mort que cendres, père et moi nous en retournâmes à notre ordinaire. Vers le déclin du jour, tandis que nous étions à prendre pâture en l'étang, je constatai que les gens de père avaient pris congé de lui. En effet, renfrognement avait reconquis pour de bon ses chairs. Aussi, après que j'eus cloué d'un coup de pique un poisson-chat, je risquai cette question : « Mais, Père, à la fin : pourquoi, pourquoi ces prières, ce pénible stationnement de cils, cette invitation à table d'un pendu accoutré ? Pourquoi ? Pourquoi ? »

En cieux, le soleil passait sa course mollement, et s'en allait décéder derrière la forêt. Une pie vint se poser sur une quenouille et nous lorgna. Dans les herbes un raton couina, puis détala.

Enfin, l'œil fixé sur l'onde, le bras levé et armé de sa pique, attendant roide comme tronc le passage d'un poisson, père fit ce rétorque : « Ta mère était dévote. Souventes fois, à table, elle offrait pitance à la déesse Lune puis entrait en recueillement, fixant long de temps le vide sans ciller jamais, pareille à un outrepassé. On aurait dit qu'elle entrait alors en état d'extase. C'était une créature de forte religion. Grâce lui fut rendue aujourd'hui. »

J'en fus, Monsieur le juge, tout ému, tout vaincu. J'enfouis par suite ma prise dans ma besace et me rétablis en posture. D'autres poissons nagèrent sous l'arceau de mes jambes. Distrait de mon ouvrage, je n'en piquai pourtant plus aucun, méditant plutôt les récentes paroles de père. Une fois sorti de ce rêvement, je rentrai à la cabane, suivi de père. J'allumai un feu, fabriquai quelques braises et y jetai le poisson-chat. Quand il fut mangeable, père et moi l'avalâmes, puis nous ravivâmes la flamme et restâmes encore tout le soir et jusqu'à l'aube suivante, traversant la nuit sans discours et presque sans geste. Au détour d'un penser, quittant provisoirement ma songerie, je rebroussais au réel et guettais avec trac notre métamorphose en crapauds.

Rien ne vint toutefois.

Malgré le péril des foudres de père, je rebroussais toujours ascensionner le grand orme. Mais le spectacle qui s'offrait à l'œil du haut de mon perchement ne m'exauçait guère. Un jour, j'outrepassai donc les limites de la forêt et entrai en village avec l'intention d'y aborder Manon. On ne tarda pas à me reconnaître, comme chaque fois que j'avais piloté ma personne par les rues du village. J'entendais à ma suite ces mots, sortis comme bruissements des bouches : « C'est le fils Courge ! C'est le fils Courge ! » Étais-je donc à ce point un événement ? Cependant, j'allais, chaloupant et léger.

Jamais ne fus-je moins parleur que ce jour-là. J'escoutais, esgourdes béantes, chercheur du moindre présage du trouvement de Manon, l'humanité qui passait là. Au bout d'une période d'errements, lassé de ne rien traduire ni dégoter, je résolus d'engager le discours. J'abordai un bourgeois. J'adoptai la façon du traînard puis, singeant l'indifférence, je le questionnai : « Dites : je furète depuis jolie lurette afin de trouver la créature Manon. Quel est son séjour, que je course y toquer ? »

Le répons que je récoltai m'enfarina d'ébahissement.

« Manon ? fit avec surprise le bourgeois. Manon Grandjour ? Mais elle est morte, mon pauvre vieux ! Voilà des mois et des mois ! C'est Henri Ronce et sa femme qui l'on trouvée, un soir, dans leur pré, le cou brisé, un trou gros comme ça entre les omoplates. Le taureau l'avait encornée ! Une bête énorme, forte comme vingt hommes ! Pauvre Manon ! Ah, ça oui : pauvre, pauvre Manon ! »

Avez-vous jamais expérimenté, Monsieur le juge, qu'on vous tranche les jambes ? C'est ce que je goûtai intérieurement, ce jour-là, dans la grande rue du village, au sortir de ce narrement cuisant. Au dernier mot lâché par le bourgeois, je commençai mollement de rebrousser à la forêt. J'allais, hagardé, tel un engourdi. « Manon est morte ! Manon est morte ! » serinais-je comme pour moi-même, quoique n'étant plus bien assuré d'être encore habitant de ma personne. J'avançais parmi l'humanité buissonnante des rues. Comment retrouvai-je la sente menant à la cabane ? Mystère ! Je ne saurais dire non plus, encore à présent, en quels endroits mes pas me pilotèrent durant le long parcoursement qui s'ensuivit, et quelles pistes je pris. Quelle force obscure séjournait donc alors en moi ? Sans doute quelque entendement prodigieux aménagé en mon pied et traduisant mieux que moi-même les lois de l'orientation. Qu'y avait-il en mon casque ? Rien d'humain, ce me semble : un gouffre, où mon sens et ma clarté venaient se suicider. Que tenais-je en mon cœur ? Un brisement de vitre.

Je dus en tout cas errer en forêt longuement, car je ne parvins à notre seuil qu'en fin de jour. Père m'attendait et, traduisant l'objet de ma fugue, me reçut comme en coutume avec savates et claques au casque. J'encaissai cette correction d'une bien étrange manière : comme en rêvement. Mais, aussi, sans doute n'habitais-je pas véritablement ma personne à ce moment-là. On eût dit que je logeais plutôt en celle de Manon. Tandis que je paraissais par-devant père et que j'accusais réception de sa dégelée, je vis en penser quelque image d'elle, je souffris sur ma propre échine la charge du taureau, je pâtis en ma carcasse du heurt de la bête furieuse, je sentis mes viandes s'ouvrir et mon sang commencer à me quitter. Et ce n'était plus dans la cabane que j'étais, mais dans le pré de monsieur Ronce, à périr sous un piétinement de sabots, à sentir sur mon col le souffle enragé d'une bête muscleuse et encolérée.

Oui, sans doute, sans doute quittai-je un moment ce jour-là le logement de mes propres chairs. Car, en vérité, j'ai peu de ressouvenir des blessures que m'infligea père. On objectera à mes paroles que, par phénomène ou diablerie, je confondais alors une paire de douleurs : celle de la perte de Manon et celle de la brossée de père. Pourtant, je puis l'attester sans tortiller : pour la première fois, les coups de père ne m'atteignaient pas, ou brin. Ce n'était que poux de mouches et autres riens. Mais terrible était le souffrir que je goûtais de concevoir que jamais plus je n'effleurerais la main de Manon, ni ne serais détergé par elle en barrique.

Ses coups distribués, père me laissa à moisir sur les fougères. J'y fus comme mort, n'entretenant plus avec l'existence que chétives relations. Le soleil parcourut en firmament nombre de trajets avant que je recouvre mon sens. Mais je repris assiette finalement, et recommençai peu à peu ma coutume. Seulement, toujours et plus encore qu'avant je questionnais cieux et Terre, et pierrailles et végétations, et bêtes aussi : où, mais où donc se terrait amour ?

Et toujours des saisons paraissaient, s'établissaient puis repliaient, abandonnant à la forêt leurs pluies, leurs bêtes nouvelles, leurs sociétés d'oiseaux, leurs brigades de tanières, leurs branches engrossées. Par printemps, l'air s'échauffait et gonflait de sève arbres et boqueteaux. En arrière-saison, les cieux ornaient le monde du rideau souple des averses. Ramures saignaient puis lâchaient leur cargaison de feuilles comme pages déchirées. Bourrasques s'en emparaient, et c'était tout le récit de l'été qui s'envolait. Venaient ensuite neigettes, déposant couvercle sur l'étang et capiton d'ouate sur toutes choses. En leurs trous, ratons, putois, belets, marmottes et ours entamaient ample roupil, et patientaient sous chairs ensiestées que rebroussent herbettes. La forêt elle-même stoppait sa vie en attendant que lombrics, faufilés en leurs couloirs, recommencent à manger la terre.

Et, en effet, la terre un jour se défigeait, et oisillons s'envolaient des nids, et cieux nouveaux se recomposaient.

Vint une époque où les nuages se tarirent, ne transportant plus en leur étendue que bises archisèches, poussiers et volatiles amaigriés. La barrique béait, ne contenant plus à présent que filetteries d'araignées. Et mêmement, nous avions beau fouiller de notre pelle le sol de la forêt, rien n'y sourdait jamais que quelques lombrics anémiques. L'étang lui-même, d'ordinaire si ourlé de clapotis, ne rendait plus guère qu'un bruit boueux sous le pas des bêtes et offrait au jour ses limons à sécher. Partout, ce n'était que sables et poudres. Mais d'humidité, point non. Bref, nous manquâmes d'eau.

Père possédait la science des sourciers et savait, par simple maniement de sa badine de bois, faire avouer à la terre où se dissimulaient ses liquides les plus aprofonds. Je le vis ainsi un matin tailler le sumac puis, à la fin, tenir en ses mains la branchotte rêveuse d'eau. Du levant jusqu'au milieu du jour, père pilota doctement sa personne de buissons en fourrés, sa badine pointée vers le sol, à distance d'une genoulée de la terre. Tel un aveugle, il étudiait ainsi, non pas de son œil pour cela inutile, mais du bout de ses doigts, le domaine le plus caché de la forêt, le plus enfoui, sa subconscience pour ainsi dire. Et bien qu'il menât son pas à l'heure pleine du jour, père allait tel un tâtonneur, cherchant comme en nuit épaisse.

Je m'avisai alors pour la première fois que c'était à peu près la seule aprofondeur à laquelle il était capable de se mesurer et pour laquelle il montrait quelque compétence. Obscurité de l'industrie humaine ! Pour emplir la barrique, pour assurer nos bouillades, pour breuver nos chairs, père était capable de dégoter toutes pistes souterraines. Mais pour creuser ses semblables, pour en embrasser le prix, en peser l'essence et en visiter le cœur, père était ainsi que marmotte aux heures de l'arrière-saison : pétri d'engourds, l'œil clos et le blair éteint, ne rêvant de rien. Car en matière d'humanité père n'était pas chercheur, et déviait volontiers son penser de tout ce qui réclamait usage extraordinaire de casque. Ce n'était pas qu'il fût dépourvu d'éclairage. Seulement, il allait, semblable au poisson-chat : manœuvrant juste sous la surface des choses, comme si plonger en leur fondement risquait de l'engluer de limon. Son apparence elle-même évoquait quelque bête sous-marine : quoique charnu et râblé, père avait quelque chose de glissant et d'ondulant, une inexplicableté qui lui permettait d'aller parmi les choses sans se heurter à elles, les évitant plutôt, les contournant, s'y dérobant. Oui, si par malheur quelque obstacle venait pourrir son trajet et s'objecter à son pas, toujours il congravitait autour et élisait préférablement quelque dérobade. Pourtant, nul n'allait sur sente, ni ne gravissait monts, ni ne circulait parmi les arbres plus adroitement que lui, mêmement au milieu de la nuit, en son heure la plus épaisse. C'est que, pour piloter adroitement sa personne, père s'en remettait entièrement à son pied, qui en toutes circonstances lui servait pour ainsi dire d'œil. Et sa main, son blair, ses esgourdes unanimement lui étaient alors une manière de guide. Voilà pour son guidement au sein des lieux. Toute différente était sa façon d'aborder les phénomènes. Et, ainsi que je l'ai dit, c'était pire encore quand il coudoyait ma personne, ou toute humanité. Car pour lui, ses semblables étaient incirculable géographie, et s'il se hasardait jamais en leur paysagement intérieur, il s'y déroutait à coup sûr lamentablement. Aussi inclinait-il plutôt à ne jamais s'aventurer en ces épaisseurs-là. Peut-être tremblait-il d'y encontrer cyclones et paysages d'outre-tombe. Qui le saura ?

J'ai encore ce qui suit pour exemple de son peu d'enclin à creuser les choses. Un soir que nous finissions d'avaler un cuit de raton, père s'allongea auprès du feu et commença à mirer les astres. Il demeura ainsi long de temps, lorgnant songeusement la voûte. Qu'y avait-il en ce corps stationné, en ce casque d'ordinaire si peu chercheur, mais soudainement étrangement pensif? Une tige d'herbe à la lippe, je tâtai ma chance et le questionnai: « Père, te voilà bien enfermé en toi-même. Que vois-tu de la sorte sur firmament qui te rende à ce point remâchant? La clôture de ta vie? Est-ce bien cela que tu déchiffres en cieux et qui te trouble au point de te laisser tout paralytique? » Je comptais secrètement qu'il dévoile son fond et qu'il fasse mentir l'opinion de lui que j'avais forgée jusque-là, à savoir qu'il n'était que poisson glissant sur toutes choses. J'ambitionnais de l'entendre exprimer, pour une fois, le fruit d'une méditation véritable, rendant un écho différent que celui de notre barrique lorsqu'elle est à sec et qu'un chipmonque y chute. Son répons déçut mon attente. Ne délaissant point de ses yeux la voûte, mais se grippant alors d'une main le ventre: « Parbleu! Ce cuit de raton m'incendie les tripes! Es-tu assuré, Fils, que tu y mis juste dose de poivre de bazzanie? »

Ainsi parla-t-il.

Je m'en instruisis ce même soir: père soulageait ses aigreurs digestives de pareille manière qu'il évitait usage extraordinaire de casque : en regardant ailleurs et en songeant à autre chose.

Les membres de ce tribuneau et vous-même, Monsieur le juge, objecterez peut-être que père, pourtant, était capable de singulières et véritables méditations lorsqu'il terminait les folles missions de ses gens. Aussi je dirai : en ces moments-là, j'incline à croire que ce n'était guère père lui-même qui discourait, mais plutôt ses gens, toujours tapis non loin, qui lui soufflaient les mots. Quant aux observations, fort valables aussi, que lui inspirait parfois sa lecture des astres, j'aurai bientôt occasion de vous en entretenir plus éclairamment.

Il m'arrive parfois, Monsieur le juge, de m'interviewer sur ces matières et de risquer ceci : père compensait-il son incapacité à creuser autrui par son extrême talent à dépecer les bêtes ? Son étonnante inhabileté à commercer avec bourgeois et créatures de tous horizons ne se serait-elle pas muée, par quelque tour étrange, en un extraordinaire don pour le videment de tripes, l'écarnage et le décollement du lard nouveau ? En la forêt, il ne se passait en effet guère de jour sans qu'une bête goûte du tranchant de son coutelas. Et n'est-ce pas là, au fond, la forme de creusement la plus directement et aisément réalisable ? N'est-ce pas, au fond, une manière comme une autre de connaître son vis-à-vis, d'en explorer la vie intérieure, de le toucher le plus réellement et de s'en ravitailler, de se repaître de lui, comme on se repaît parfois du commerce humain ?

À ma façon, peut-être ai-je par ailleurs hérité de père cet appétit de fouir les choses, de les retourner, d'en disséquer et séparer les parties. Cela non pas pour en faire rosbives ou lardons, mais afin plutôt d'en trouver le sens et la direction, d'en détacher une autre sorte de chair, puis de m'en nourrir. Et peut-être bien me suis-je nourri de cette chair-là, la chair du sentiment humain, pour reculer moi aussi la venue de ma mort. Car même si je ne crains guère le moment de mon simple trépas, je tremble comme pâquerette sous brise au seul penser de quitter un jour l'ici-bas et d'y avoir vécu en vain. Et quoi de plus vain, Monsieur le juge, qu'une existence de bourgeois ou de créature sans chérissement, c'est-à-dire sans ouverture menant au cœur ? C'est là, en ma carrière humaine, l'objet de ma plus tendre peur.

J'observais donc père circuler à l'entour muni de sa badine. Survint alors un événement lié à ce que je viens d'exposer, et dont je garde encore à présent un ressouvenir fort troublant. Un macchabée parut, qui vint s'établir à mon côté sur une billette. Ce mort-là portait barbe et longue chevelure, et robe à manches et à capuchette. Le vêtement de son pied n'était guère semblable à nos godillots, ni même à ceux des villageois : ce n'était que sandale, que semelle assujettie à ortelle et cheville par cordons de cuir. On eût dit un misérable, et cependant une lampe brillait par trop brillamment en son œil pour s'accorder à misère.

Il stationna long de temps, semblant délibérer, lorgnant attentivement père dans son allée et venue. Par instants, il tournait le regard vers moi, et je notais sur sa face la tristesse des péris. Au bout d'une durée, il sortit de sa torpeur et fouilla en une poche de son vêtement, d'où il sortit une michotte de pain et une gourde d'eau-de-raisin. Usant de sa robe comme d'une table, il rompit le pain et en avala une morcelle. Il m'offrit par suite à manger, ce que je fis volontiers, car, à cette heure, j'avais l'estomac qui commençait à grincer. Puis il déboucha la gourde, y breuva et m'invita à le singer, ce que je fis encore.

C'est ensuite que ça se passa, Monsieur le juge.

Glissant alors la main sous son accoutre à l'altitude du poitrin, il commença à fouiller ce secteur fébrilement. Puis le voici qui sort avec lenteur sa main, enserrant à présent quelque chose que je ne démêle pas encore. J'agrandis l'œil, soulève le sourcile, allonge le col, et que vois-je ? Vision fabuleuse !

Spectacle incroyable ! Impensable tableau ! Le mort tenait son cœur, son cœur, son cœur encore tout remuant de mouvements et de vies ! Cloué sur ma billette, j'étais si stupide que j'en égarai sur le moment la parole, et presque le respire. J'avais l'œil pour ainsi dire hors trou, la bouche comme éperdue.

En silence, me toisant au plus aprofond du regard, le mort me tendit doucettement son cœur, comme on tend une main secourable. Trembleur mais comme envoûté, j'étendis le bras et touchai ce cœur-là. Ce que j'y sentis battre me trouble encore aujourd'hui, et je n'en puis parler sans ressentir à nouveau tout le secouement de mon édifice. Qu'était-ce que ce battement-là, ce tressaillement pareil aux chants des bêtes soûlées de vie dans l'été ? De toute mon existence, je ne fus jamais instruit de mon prénom. Sans doute n'en possédais-je aucunement. Pourtant, le frémissement de ce cœur, cette ineffaçable mélodie répercutée ce jour-là en tous bouts de moi-même, Monsieur le juge, résonnait en ma personne comme l'aurait fait le son de mon prénom !

J'en restai tout paralytique, ma main comme soudée au cœur du péri. Au bout d'un laps, le voilà qui ramène tout ça sous sa robe. Puis il se lève calmettement et commence à marcher vers les arbres tout près. Il disparaît en forêt. Les bêtes qui nous guettaient, tapies dans les bosquets à l'entour, auraient assurément pu en témoigner : jamais on ne vit en ces bois bourgeois plus secoué que je ne le fus à ce moment. Oui, je me trouvai, ce jour-là, troublé comme peu le furent. Et tandis que je rapporte ci-devant vous ces choses, Monsieur le juge, je ne puis me défendre de songer combien ce transport qui s'empara de moi était parent de celui que j'avais ressenti pour Manon. Car on aurait dit que le cœur de ce mort-là contenait cargaisons de chérissement, tout le chérissement du monde. Mieux : que ce chérissement-là m'était promis ! Énigme de nos destinées ! Nous croissons pendant des lunes en les chairs ombreuses d'un ventre, nous arrivons ensuite en cette vie faite de pénombres, puis nous marchons sur sentes brouillardeuses, et voilà qu'amour nous aborde et nous appelle par notre nom, que lumière surgit des ténèbres !

Je levai le regard jusqu'au-dessus du sommet des arbres. Dans les cieux, la déesse Lune, encore pâle comme galette de sel, patientait pour commencer à briller que s'évanouissent les heures du jour. En est-il ainsi de nous, Monsieur le juge ? Nous faut-il atteindre l'ombre épaisse des nuits pour que s'éclairent enfin nos corps et nos cœurs ?

Abaissant l'œil et remettant le monde en ma mire, j'entendis soudainement père s'écrier : « Houraille ! Houraille ! De l'eau ! De l'eau, parvert ! » Et, en effet, on démêlait à distance le bruit de ses godillots clapotissant dans la flaque nouvelle qu'il venait de mettre au jour.

Fut-ce l'effet apaisant de l'eau sur ses soifs ? Père, en tout cas, me signifia un matin, au sortir de paillasse, qu'il ne souhaitait plus recevoir quelque enseignement que ce soit en matière de toisement de macchabées. « C'est assez de ce sorcellement ! » lança-t-il, se dressant vitement et posant son pied sur le sol de la cabane. « On ne doit pas séduire diabletons et esprits terribles ! Sinon, qui sait si ces monstrueux-là ne nous attirerons pas d'avance en outre-fin, interrompant du coup notre séjour ici-bas et nous transformant en défunts avant notre heure ! Pire encore : peut-être, profitant de nos fréquentations avec les morts, nous enrôleront-ils en leurs diableries ! Parjaune ! Qu'on me pende casque en bas durant une lunaison complète si, de mon vif, je me frotte à démons ! Et puis, les macchabées ne doivent pas s'entremêler aux vifs. Ce sont individus prodigieux, tandis que nous sommes coutumiers et insipides. On ne peut brasser en même marmite raisins d'ours et tubéreuses. »

Tel fut son dire. Je fus tenté de l'instruire qu'en mon opinion, sapristi, ses gens l'enrôlaient d'ores et déjà en diableries et prenaient toute apparence de démons. Mais je flairais que père ne traduisait en rien la nature satanique des actes qu'il accomplissait sous l'empire de ses gens. Je conçois que ce n'était, pour lui, que conduite commune et convenue. Aussi me tus-je plutôt, m'épargnant pour sûr salves de savates, et préférant m'affairer à l'apprêt de notre déjeuner : biscottes de parsnip et gruau de bazzanie. Ce fut donc le bout de ses efforts afin de repérer les défunts.

Peut-être par ailleurs pressentait-il le grand âge avancer sur lui avec tant d'audace qu'il ne souhaitait plus, à présent, se consacrer qu'à des besognes plus simples. Car il est vrai que sa saison de vie avançait et rétrécissait grandement sa carrière. Père avait beau avaler d'abondance viandes grasses et lards nouveaux, les époques s'empilaient néanmoins sur lui et le tiraient chaque jour davantage vers la grande ancienneté. Mais il persistait dans le vivre, comme un garenne à demi pris au collet, toisant la mort à proximité et se débattant pour en reporter encore un brin le commencement. Maintes fois, par matins au réveil, père était pris de toux impressionnantes. On eût cru qu'il s'apprêtait à cracher sur table poumons et suites. Mais toujours il surdurait, reprenait couleurs et s'établissait enfin sur taboureau pour le dévorement de nos gruaux. Parfois aussi, sa carcasse tout entière était la proie de rhumatismes variés, qui le forçaient à rester sur paillasse pendant plusieurs courses de soleil. Goutte et lumbagos lui gauchissaient le corps. Fièvres, picotements, engourds, incontinades, courantes, poussées, nages, migrains, écœurements et coliques le houspillaient sans vacances. Oui, à n'en pas douter, père déclinait sous les coups que l'âge lui portait. En sa personne, toutes chairs accusaient fatigues et pourrissements.

Les macchabées, comme toujours, passaient chez nous, s'attardaient un temps, puis rebroussaient en leur contrée d'outre-jour. L'un d'eux, toutefois, séjourna à la cabane plus que de coutume. C'était un ménestrel à longue chevelure et aux yeux entourés de lunettes, qui trimbalait en permanence un gratte-cordes. Il venait, s'assoyait sur une billette et empoignait son instrument dont il pinçait le cordage, produisant de la sorte des mélodies exquises.

Ce furent les seuls sons que j'entendis jamais émanant d'un mort. « À défaut de vocabulaire, remâchais-je, les morts useraient donc de musique ? » Je cherchais à traduire ce mystère. Et je songeais, non sans trouble : « Peut-être découvrirons-nous, à l'heure de notre fin, que parole, au fond, est par trop pauvre et insignifiante pour traduire notre domaine intérieur. Mais que mélodies constituent non seulement un langage plus approprié, mais aussi plus rassembleur, et immortel, et formant passerelle entre les mondes. Et comme, le plus souvent, musique est exquise, peut-être trouverons-nous finalement que beauté est seule grammaire qui vaille. » N'est-il pas singulier qu'une telle méditation m'ait été inspirée par un défunt ?

C'est matière que j'avais voulu enfoncer en père : que mort puisse être bon maître et servir aux vifs comme boussole aux égarés.

Cette même nuit, lorsqu'il se fut assoupi, j'ai ressouvenir d'avoir encore longuement étudié père à la faveur du feu. Oui, qu'y avait-il en ce corps équarri, comme taillé à même le bois du grand hêtre ? Y avait-il en ce mortel-là quelque appétit de beauté ? Ou père ne frémissait-il qu'à l'enfui de l'été, lorsque s'abattaient sur la cabane neiges et frisquetteries ? Que contenait donc son cœur, à lui ? Certes, mère y séjournait toujours. Mais mère était morte depuis longues époques. N'y avait-il rien de vif en ce cœur-là que l'image d'un trépassé ?

Cependant père allait et venait et ne percevait rien des mélodies du mort. Pourtant, le ménestrel usait abondamment de son gratte-cordes, emplissant de ses notes tout l'à l'entour de la cabane durant longues périodes du jour. C'était, ainsi que je l'ai dit, charmantes musiques, que j'escoutais rêveusement tandis que je m'affairais à besognes. Mais il arriva que, sans m'en rendre compte, je cessai mon labeur et fermai le regard afin de me mieux pénétrer de ces beautés. Père me surprit en cette attitude. « Fils ! tonna-t-il. Quitte un peu ce rêvement de traînard et rebrousse à ton emploi ! » Car père était besogneux, et condamnait vivement toutes vaines songeries. Ouvrant l'œil, je répliquai de cette sorte : « Mais, Père, à défaut de voir le ménestrel, n'entends-tu pas le murmure mirifique de son gratte-cordes ? Mais aussi, peut-être, ton grand âge te bouche-t-il désormais l'esgourde par trop d'époques accumulées en sa machinerie. » Son rétorque fut prompt, et viril : « Ânetés, naïveries ! Mon esgourde traduit encore toutes choses bruiteuses sur terre ! Et il n'est de murmure en ici que celui de l'arrière-saison qui arrive sur nous à grands pas ! Reprends ton emploi, j'ai dit ! Et fends ces billes, et fais provision de racines, et recouds nos liquettes, et usine-nous tuques et calots de pelisses ! » Ainsi répliquait père à la beauté, y compris à la beauté des inexplicabletés : par fabriquement de bonnets, stockage de racines et tricotet d'accoutre.

Advint le jour où le ménestrel quitta notre abord. Je le vis par matin suspendre son récital, poser son gratte-cordes sur l'épaule, quitter mollement la billette puis disparaître dans un taillis de barbe-de-bouc. Il ne parut plus. Les pluies, enfin, reprirent.

L'hiver venait.

Bourrasques, tombements de neige et verglace formaient à présent les jours. La terre, désormais, était aussi croûteuse qu'échine de tortue. Surgelées accoutraient les arbres, qui craquaient au moindre soufflement de bise. Or, ces divers manquements de chaleurs ne manquaient pas de grossir mon chagrin d'avoir à jamais perdu Manon.

Ma peine me fit-elle égarer lumière ? Toujours est-il que je formai en ces jours une singulière manie : je me mis à m'immerger en barrique et à me frotter peaux et endroits. Quand l'image de Manon me tenaillait excessivement, je désaccoutrais ma personne, la plongeais sous eau et la détergeais à grands coups de pain de sable. Je conservais pour cela notre tonne par-devant l'âtre et réutilisais son eau de fois en fois. Énigmerie de nos élans : mon gré n'était pour rien dans cette manie-là. Dès que cela m'était possible, il me fallait me plonger jusque par-dessus chevelure, puis me briquer intensément. Père, quoique perplexe devant mon manège de mouillements, ne me foudrait pas pour autant. Tout au plus me toisait-il avec bizarrerie, comme si j'avais été phénomène ou événement. « Parvert ! Pourquoi t'astiquer de la sorte,

Fils ? » s'étonnait-il parfois. Je restais silencieux et comme étanche.

Je ne soufflais mot des origines de la manie qui m'habitait. Car je n'ambitionnais qu'une chose : de pouvoir continuer à loisir mes plongements. Père, cependant, besognait mollement, ou se cuitait à l'eau-de-genièvre, ou posait le regard sur la vitre, se tracassant de l'état du grain ou attendant le rebours des jours chauds sur la forêt. J'avais peu de rôle en son occupation. Aussi n'eus-je pas à user auprès de lui de carottes, de menteries et de scénarios.

Il m'est ardu de traduire l'apaisement que m'apportaient ces plongements. Sans doute construisais-je par eux quelque pont prodigieux et secret permettant notre réunion, à ma charmante et à moi. Oh ! comme j'impatientais, certains jours, d'entrer en barrique ! Comme j'ambitionnais de revivre l'exquis moment où je fus récuré par Manon ! Il me semblait alors que je m'approchais de mon vœu de toujours : voir, de mon œil voir, le sentiment, oui, le toiser vraiment. Je ne désespérais jamais de l'apercevoir un jour s'élever en air, puis de suivre sa course à l'entour des choses, et de le voir à la fin venir se poser sur mon épaule ou ma chevelure, ou encore pénétrer mon esgourde ou mon blair pour aller s'établir en toute ma personne. Car j'en étais convaincu : il devait y avoir, quelque part en nos chairs, tanière ou alcôve recelant amour et relâchant au-dessus de nous son image, oui, cela se devait.

Mais, bien sûr, concernant Manon, ce n'était que rêvement : peut-on voir le sentiment des fantômes, Monsieur le juge ? Car, contrairement à mère ou à d'autres macchabées, Manon ne paraissait jamais. C'était, véritablement, un fantôme. Telle était ma songerie : peut-être en est-il ainsi de certains morts. Pour motifs inconnus, ils préfèrent ne plus commercer avec les vifs, et stationnent plutôt solitairement en leur patrie d'outre-vie.

Où trouver, dès lors, ceux qui quittèrent l'ici-bas et qui se refusent à nos yeux ? Où donc, sinon dans le rêvement ?

Arriva enfin le temps où je connus pourquoi père fut, de toute sa vie, si férocement ennemi de l'humanité. J'avais eu vent, déjà, de querelles occasionnelles entre lui et les villageois. Il en fut une cependant, bien antérieure à toutes les autres et comme fondatrice, pourrait-on dire, qui déclencha pour de bon sa détestation. Mère y avait quelque rôle.

Je fus instruit de tout cela fortuitement, une nuit où le roupil de père fut troublé et tout transpirant de paroles révélatrices. Celles-ci parvinrent en effet à mon esgourde, creusèrent jusqu'en ma cervelle et s'y gravèrent, me laissant, depuis, fort songeur.

C'était au temps lointain mais encore joyeux de la première verdeur de père, lorsqu'il promenait sur casque bouclettes de jouvencelle. Sa face, mêmement, affichait les éclaboussures de roussi typiques aux garnements. Son œil, espiègle et délivré, reflétait la candeur de sa vie encore neuve.

Mère et lui, déjà, étaient épris l'un de l'autre.

Chacun habitait, auprès de ses parents, une paire de maisonnettes voisines en quelque rue du village.

Chaque jour on les voyait, mains mêlées, promener leurs petites personnes le long des trottoirs, devant les étals ou à l'abord de la grande forêt, composant bouquets d'aralie et bottes de valériane. L'existence, en ces temps-là, leur était légère, inoffensive.

Survint, un jour de fin d'été, le drame qui fit à demi basculer père.

Cependant que lui et mère étaient sortis, un incendie naquit en la grangeote ci-derrière l'une des maisonnettes. Le vent soufflant à grands poumons ce jour-là, les flammes gagnèrent vite en importance. Déjà on entendait, venu des champs, le criaillement des vaches lorgnant tout cela, et on lisait aussi leur peur dans les replis de l'air furibond, échauffé par le feu. Ci-dedans la grangeote, des poulardes enroupillées un moment plus tôt et maintenant prises au piège cuisaient sur place, ne tentant même plus de fuir tant la chaleur tenaillait toutes choses. Les fourrages engrangeotés flambaient et, sous l'empire de la forge, s'envolaient en noires fumées pareilles à de lugubres nuées de corneilles. Le lait bouillonnait dans les barriques, qui finissaient par éclater à cause de l'ulcère trop vif de leurs flancs. Cela se répandait ensuite, semblablement au tapis que déroule sur l'étang, par soirs, la déesse Lune.

Les parents de père et de mère accoururent, suivis bientôt par d'autres villageois ahuris, tressautants et l'œil agrandi. Tous criaillaient, certains leur désarroi ou leur effroi, d'autres leurs prières. Et les parents de père et de mère, sans doute momentanément privés de réflexion, se mirent alors follement en casque de vouloir sauver quelques malheureuses poulardes. Ce geste, Monsieur le juge, leur fut fatal. Car sitôt qu'ils passèrent le seuil de la grangeote, on les vit comme avalés par les noires fumées, et possiblement même par les flammes.

Or, il arriva que père et mère, alertés par les gémissements de la foule, surgirent comme courseurs sur les lieux. Ci-devant un tel théâtre, mère s'effondra de douleur, égara l'assiette et, peu après, la conscience. On la cueillit, puis elle fut conduite plus loin pour quelques ablutions. Père fut plus hardi. Malgré son âge encore fort vert, il entreprit de sauver du péril ses propres parents et aussi ceux de mère. Enaccoutré de sa culotte courte et de sa liquette à mi-bras, il commença à courser vers le brasier.

Un bourgeois se mit sur son chemin. Voici sa voix : « Faut pas insister, Petit. Sont déjà tous cuits à point, là-dedans ! »

C'était compter sans l'extrême combativité de père. Contrarié, celui-ci grippa la fourche qui traînait là et l'enfonça dans l'estomac de l'autre, qui s'affaissa sur les genoux, interdit, l'œil et la bouche déversant déjà sangs, fluides et liqueurs vives. La mort le cueillit bientôt telle une citrouille blette.

D'autres bourgeois et créatures vinrent, affolés, qui s'emparèrent de père puis le maîtrisèrent, cependant qu'il rugissait son désespoir, pleuroyait et criaillait encore, assénant de ses jambes déjà muscleuses d'innombrables coups à ceux qui le tenaient ainsi. On tenta de le mener plus loin, auprès de mère, afin qu'il ne fût plus le témoin agité et décervelé du feu emportant hors de cette vie ses parents et voisins. Il résista tant et tant, se tortillant, griffant, se cabrant et crachant à la face de ses opposants, qu'à la fin on lui accorda de stationner là, quoique bien tenu à distance.

Survint à ce moment cette chose terrible, oh ! combien terrible : on vit soudainement sortir en courant de la grangeote les parents de père, encore tout enlacés et se consumant, oui, se consumant, dévorés par les flammes qui leur détachaient la peau des membres, qui leur faisaient éclater les yeux, qui leur fondaient les esgourdes, qui leur grugeaient les chairs et dévêtaient leurs os. Fascinés, paralytiques, muets et traumatisés, tous, y compris père, virent ces promis-à-la-tombe achever ainsi leur existence. Car, s'étant à la fin sinistrement allongés sur la terre, mêlant leurs chairs calcinées et leurs destinées jusque dans le trépas, il ne resta bientôt plus d'eux qu'une paire de carcasses enlacées, enlacées encore et toujours.

C'est ainsi que, en ce jour maudit et inoubliable, père, réduit à impuissance et immobilité par les villageois, fut le spectateur stupéfait de la grillade de sa famille, la seule véritable qu'il eût jamais coudoyée. Nul doute : c'est ce jour-là que s'envola sa verdeur, sur les ailes noires des grandes corneilles de fumée dont j'ai parlé tout à l'heure. Oui, ce fut assurément, pour lui, un jour noir, et tout empli de volutes funestes, et résonant des croassements de troublants oiseaux de malheur. Le jour des corneilles.

Père fut donc empêché d'apporter secours à ses parents. Cette attitude des villageois fut pour lui comme outragure, comme traîtrise. Quoi ! cette existence doucette et paisible, emplie jusque-là de promesses délicieuses, de bouquets d'aralie et de soupiasses chaudes, cette existence menée si plaisamment n'était donc en fait que repaire de trembleurs, de sans-courage et de grilleurs de parenté ? Quoi ! il lui faudrait à présent vivre parmi cette racaille, ces marauds, ces pendards, ces faquins, ces gueux ?

Jamais ! Plus jamais !

Père et mère s'en furent en forêt, et y vécurent pareillement aux ermites, malgré qu'ils fussent encore à l'âge des primes verdeurs. On ne fit pas procès à père pour le meurtre du bourgeois transpercé en bedain. Peut-être jugea-t-on qu'il avait déjà suffisamment pâti de la perte de ses parents, et aussi des parents de mère. On n'opposa guère, non plus, de résistance aux desseins de mes parents. Peut-être les eut-on à l'œil, de loin, pendant quelque temps. Puis, les époques et saisons coulant, peut-être furent-ils laissés à eux-mêmes, un peu oubliés et considérés, à la fin, ces orphelins solitaires, comme une sorte d'attraction, de curiosité. Je n'en puis rien savoir. Il est aisé de concevoir toutefois que père se jura, à compter du jour des corneilles, d'aimer mère à tout jamais et plus que tout. Car on traduira de tout cela qu'il ne lui est resté, après cette affaire, que cet unique et ultime trésor à chérir en l'ici-bas. En unissant sa vie à celle de mère, savait-il qu'il marquait son destin d'un si tragique présage ? Je ne sais, je ne sais.

Car hélas ! tant de fois hélas ! vint le temps du trépas de mère, dans les circonstances que j'ai dépeintes. Père, dès lors, termina de basculer et sombra dans les dernières aprofondeurs de l'enfer, du plus redoutable de tous les enfers : celui paraissant parfois aux vifs cependant même qu'ils circulent encore sur la Terre.

Ainsi fut le récit de père, qu'il fit malgré lui, alors qu'il était enserré dans son roupil mauvais et qu'il narrait ces choses à quelque témoin invisible. Mais quel fut ce témoin ? À qui père parla-t-il durant toutes ces heures, tandis que la déesse Lune passait, que les astres accompagnaient le monde dans son cours ? Il me semble posséder le répons à cette question. Car dans la cohue des paroles se bousculant sur sa lippe cette nuit-là, je crus l'entendre prononcer, au plus fort de son narrement, ces mots poignants et qui stationnent, depuis, en mon casque et mon cœur palpitants : « Ô Père, Ô Mère, vous qui entendez mon histoire, pardonnez-moi, pardonnez-moi ! Pardonnez-moi de n'avoir pas su vous secourir ! »

Aussi ne puis-je sans me troubler accueillir en moi-même ce penser : père fut donc, comme je le fus moi-même et le suis toujours, visité par les macchabées, au moins par ces deux-là, au moins en son roupil, au moins cette nuit-là.

Toute sa vie, père fut traversé d'épouvante dès lors que les vents soufflaient fortement. Toute sa vie aussi, la seule évocation du trépas lui avait glacé les os et roidi l'échine. Sans doute ces peurs-là trouvèrent-elles leur commencement en cette journée d'ambiance de fin du monde et de rafales mauvaises, où père vit famille et voisins périr tels des gélinots embrochés. Sans doute aussi toute sa science de lecteur d'astres remonte-t-elle à cette journée maudite où les corneilles de fumées lui prirent parents : de ce jour, père n'a cessé de chercher en cieux quelque trace restante de ses aimés. La nuit, surtout, fut propice à sa quête. La voûte, sous heures obscures, ne revêt-elle pas le noir accoutre des corneilles ? Je le traduis à présent, Monsieur le juge : père a tant foui le plafond des nuits qu'il en a connu le secret de ses étoiles.

L'arrière-saison s'avançant et étendant à présent son domaine, minceur de menu s'agrandissait, faminerie menaçait. Car, depuis les premières neigettes, bêtes à viandes avaient fui ou devenaient aussi rarissimes que poil de vipère. Or, à chaque jour coulant, père et moi égarions un peu plus de poids et d'importance, et commencions à flotter en nos accoutres. Père s'en alarmait maximalement, et clamait à toute heure: « Parnoir! Le trépas nous guette! Voici que nous nous efflanquons et nous dépossédons périlleusement de nos beurres! Si cela se maintient, nous ne serons plus avant long de temps que squelets bons à enfouir et qui iront rejoindre monstrueux en patrie de morts! Il nous faut urgemment dégoter cargaisons de viandes grasses et de lards nouveaux, sinon je ne donne pas cher de nos vies! » Aussi, souventes fois, quittions-nous dès l'aube la cabane avec en échine arcs et flèches, et attrape-loutre, et lance-caillou, et divers traquenardiers à gibier bourrés de crevard de mouffeton. Mais la fortune ne nous souriait guère, et nombre de fois dûmes-nous rebrousser à notre seuil, le soir, avec pour seul butin quelque raton victime de notre chasse. Bien qu'il ne fût pas du même sang que piquepoquètes et larrons, père alla un jour jusqu'à détrousser une poularde en la grangeote d'un villageois. Nous en fîmes une bouillade avec assaisons de sel de racine et poudraille d'araignée, que nous dévorâmes tels des insatiables. Mais ce ne fut qu'éphémère ripaille, et bientôt nos estomacs recommencèrent à se tordre et à bruiter, à exiger secours.

En ces temps de difficultés, père tâchait d'étouffer son alarme en se pintant plus que de coutume. En l'officine, l'alambic chauffait et parchauffait, produisant cruches et cruches d'eau-de-genièvre, que père breuvait goulûment.

Il arriva que, gris comme pierre, mêlant un pied à l'autre, il égara l'assiette, chut, et s'en alla toquer le mur avec son casque. Sangs et sèves jaillirent, cependant que conscience le fuyait. Catastrophique, j'abandonnai ma besogne du moment et me précipitai sur père afin de questionner son état. Sa liqueur gouttait, suivait le dessin de la face et du col et venait mouiller le sol. Père se vidangeait, et menaçait de se tarir ! Appelant toute ma poigne, je le soulevai, le menai sur sa paillasse et commençai à le secourir.

Il me fallut d'abord juguler le saignement, ce que j'accomplis de la façon que voici : je confectionnai une pommade d'herbe aux goutteux, que j'étalai sur la plaie. Par suite, à l'aide d'un pansement de fibrille, je ceinturai le casque. Cela me satisfit fort, puisque l'écoulement de père, dès lors, cessa tout net. Je préparai aussi un crachin de couleuvrée, que je mis à dégorger. Quand ce fut prêt et bien tiède, je forçai le tout en la bouche de père et le fit déglutir, enjoignant sa mâchoire au labeur à l'aide de ma main. Afin de préserver la souplesse de ses musclures et la solidité de ses chairs, j'usai aussi sur lui de frictionnements divers. Je dus pour cela composer une pâtée d'amanite tue-mouche, que je liai au suc d'une esgourde-de-Judas. Cette dernière étant, en pareille saison, fort desséchée, j'en suçai long de temps la pulpe et obtins ainsi que ses sèves revivent. Puis je poissai mes doigts de cette mixture et la répandit en massant sur toutes parties du malade. J'épuisai, pour la confection de toutes ces drogues, ce qui restait de nos réserves d'herbes et de champignes. Il nous faudrait, dorénavant, couler la rude saison sans elles et espérer que nous n'en aurions plus nécessité. Mais il faut traduire de ma conduite que nul prix n'était trop fort pour assurer le relèvement de père. Car on n'en doit pas douter, Monsieur le juge : j'aurais voyagé, si requis, jusqu'aux confins du monde afin d'y trouver le remède au mal de père.

Père, cependant, ne recouvrait pas le sens. Je sus malgré tout qu'il vivait toujours car son poitrin se soulevait et son pouls lui battait le poignet. Il ne me restait qu'à stationner auprès de lui et veiller à son confort. Je restai ainsi toute la nuit, replaçant le capiton de sa paillasse, m'assurant que fébrilités et poussées ne le tenaillaient pas trop, lui administrant ici et là un brin de crachin, fraîchissant aussi sa face d'une poignée de neige. Les heures furent longuettes. Recueilli sur le taboureau, je priais la déesse Lune de ramener père en son état d'heureuse santé. Au cœur des ténèbres, la mèche de notre lampe m'était comme boussole : en sa lueur reposaient toutes espérances et rêves fiévreux de retrouvailles. Dehors, frimasseries mordaient les choses, tourmentes gauchissaient les arbres, toutes bêtes restaient tapies et silencieuses, attendant en leur tanière un répit, le rebours de quelque chaleur. J'étais semblablement à ces bêtes : seul en ma tanière, affreux, escoutant le bruit du monde, espérant de meilleurs temps.

J'observais père. Oh ! comme je le chérissais, ce bourgeois inventeur de mes jours ! Comme je le vénérais, ce chef de la forêt, ce prince des sentes, cet attrapeur de bêtes et juguleur de vipères, ce maître tailleur de billettes, cet ogre mangeur de lards, ce bandeur d'arcs, ce lecteur d'astres ! Qu'il était beau avec sa chevelure tels des pylônes de farine blanche, son sourcil en taillis, son blair épaté, sa joue mafflue et sa lippe moueuse ! Oh oui ! comme je le chérissais ! Et comme en écho à cela, plus tard dans les heures me vinrent encore ces questions qui ne me lâchaient plus, désormais : « Père m'aime-t-il ? Et si oui, où se terre donc son amour ? » Ah ! si au moins j'avais pu apercevoir cet amour-là !

Non, amour ne nous doit pas être invisible, non plus qu'immatériel. Quoi, amour serait comme vapeurs, comme riens : intouchable, inblairable et introuvable ? Je ne peux m'y résoudre. Je dis : amour est comme nous-mêmes, bâti de chairs et de substances flagrantes et observables. Mais peut-être aussi notre œil lui-même est-il par trop aveugle, et incompétent à saisir matière aussi fuyante. Voilà pourquoi je me questionnais tant : père m'aimait-il, m'aimait-il seulement ?

Les cieux commençaient à rosir quand il émergea enfin. Comment traduire ma joie d'alors ? Ceux qui furent naufragés, puis rescapés, peuvent sans doute le mieux trouver les mots pour cela. À l'éveil de père, je me jetai à genoux et, bien que je ne fusse pas encore enseigné de vocabulaire, commençai à peindre mon merci à la déesse Lune par profusion de paroles. J'étais encore tout plié et remerciant quand père émit d'une voix caillouteuse ces mots, les premiers depuis des âges, ce me semblait : « Tordvert ! Où suis-je ? Fils ! Que formes-tu là, plié à mon chevet et discourant avec un tel abond ? » Je me précipitai sur sa personne, le serrant si fort qu'il en égarait le souffle. « Père ! Père ! gémis-je. Tu faillis cette nuit passer le seuil de l'ici-bas, et n'eût été de mon secours, tu ne serais déjà plus qu'un défunt en ton accoutre ! »

Il leva le sourcile.

« Et comment me soignas-tu donc ? » fit-il, tout empli de défiance. Ainsi fut ma voix : « J'usinai crachin, pommade et pâtée, pour stopper l'écoulement de ta liqueur, te frictionner et te garder robuste et vital ! » Je le vis dès lors se renfrogner. Ce qui suit sortit de sa bouche : « Comment ? Tu usas de nos ultimes herbes et champignes pour m'administrer tes soins de fillette ? Alors que la rude-saison n'en est encore qu'à sa demie ? Et comment tiendrons-nous, maintenant, lorsque viendront plus grandes disettes encore et, avec elles, graves grincements de tripes et autres vrais troubles de corps ? »

Le courroux de père fut immense. Se dressant, il grippa l'une de nos cruches et se mit en gosier nombre d'écuelles d'eau-de-genièvre. Il m'empoigna ensuite par chevelure et me remorqua dans la neige jusqu'au grand hêtre, où je fus ligoté solidement. Puis, pétri de furie, père déchira ma liquette, me laissant ventre au vent par température réfrigérante. Je le vis l'instant d'après usiner nombre de boulets de neige fort tassée. Prenant alors ma personne pour cible, il m'en décocha dessus par myriades. Je recevais chacun pareillement à une morsure.

Au bout de cette torture, père vint me délivrer de mes liens et me força à l'accompagner jusqu'à l'étang. Il nous fallut long de temps pour y parvenir, notre circulation étant grandement gênée par la neige amoncelée sur la sente. Mais j'allais docilement ci-devant père, craignant, sinon, grossissement de sa foudre. Mon pas étant pénible et contrarié, je devais parfois progresser telle une bête, c'est-à-dire avec pieds et mains pour assurer l'aplomb. Doigts et ortelles roidissaient leurs gonds en mes chairs. Mon cœur toquait follement, comme voulant sortir à tout prix de sa geôle d'os. Sous accoutre, mes cuissots se figeaient, tant était grande la piqûre de la frisquetterie. Le souffle me fuyait, et maintes fois, par souci de recouvrer l'assiette, je dus alentir ma course. Père me punissait alors d'une savate, ou pire encore d'un coup de bille sur le train. En la forêt, surfroid pétrifiait toutes choses, et j'étais pareil à toutes choses : comme à demi mort et ne me questionnant plus sur cela. J'allais, telle une poularde qu'on mène au couperet.

Nous abordâmes enfin l'étang. Sa surface était couverte d'un couvercle de gelure. Je tremblais au penser du sort qui m'attendait là. J'en fus bientôt instruit. Père alla quérir, non loin, une lourde pierre. Soulevant celle-ci à bout de bras, il la projeta ensuite sur l'étang. Un trou en naquit, qui fit sourdre de sous le couvercle quantité d'eau tempétueuse et comme surprise, troublée dans son roupil. Père dit alors cette phrase, qui me fit entrevoir la fin de ma carrière de vif : « À présent, Fils, marche à ce trou et jettes-y ta personne ! »

J'avançai donc lentement jusqu'à l'abord du trou. Juste avant de m'y plonger, j'abaissai paupières et priai la déesse Lune. Je lui mandai de m'accorder doucette fin et de faire en sorte que j'aboutisse sur le seuil de l'outre-monde sans avoir par trop pâti de glaceries et souffrances équivalentes. Par même occasion, j'appelai intérieurement mère. Je fus exaucé : elle parut, mais, pour la première fois, sa silhouette ne me fut visible que ci-dedans ma personne, et nullement à l'entour comme en la coutume. Sa présence me fit grand bien, apaisant un brin le toquement de mon cœur et l'affre de ma chair. Mère était là, en moi, ceinte de la petite lumière bleue typique des péris. À force de toiser sa douce face, je sentis le calme me gagner. Peut-être souris-je même. Oui, la vie pouvait me quitter à présent, j'étais paré à rejoindre l'outre-race. Je m'adressai de la sorte à mère : « Patiente encore un peu, petite Mère. Tu me verras te coudoyer bientôt. Ainsi pourrons-nous circuler de concert sur les sentes du pays des défunts. Ainsi pourrai-je à loisir lorgner là-bas les grands arbres que j'imagine, bleus et stationnés, puisque ni vent ni bourrasque n'en trouble jamais les branchottes. Ainsi pourrai-je mesurer ce grand silence qui semble régner en ce pays. Ainsi pourrai-je enfin reposer mon casque et le faire taire, lui qui ne cesse jamais, en l'ici-bas, de chercher à traduire toutes choses. Car sans doute obtient-on là-bas répons à chaque questionnement, sans doute, sans doute. Et peut-être ainsi connaîtrai-je enfin, puisque nul décédé ne peut me l'expliquer aujourd'hui par mots, ce que signifie cette tristesse sur ta face et sur celle de tous tes camarades de mort. Oh ! comme j'impatiente de pénétrer ce monde-là, si douceâtre et si placide ! »

Puis je sentis mon pied tout à la fois glisser, quitter le couvercle de l'étang et toucher l'eau ci-dessous. Père venait de me pousser en trou.

Ce fut comme si mon corps était entièrement soumis à écorchure. Bien que l'étang reposât en une froiderie sans nom, l'onde en me touchant me brûla plutôt, tant fut foudroyante son étreinte. Mais, déjà, engourds et roideurs me détournaient de ce supplice et commençaient à m'emmener en outremonde. Déjà, nuits et surnuits m'enrubannaient. Des bras gelurés refermaient leur pince sur moi, des chevelures atroces venaient frôler ma face, emmaillottaient jambes et ventre, me grippaient par clavicule et m'indiquaient ainsi le passage pour outre-vie. J'avalais sablons, bourbes, gravillons, carcasses d'écrevisses et charognes de têtards. J'effleurais des poissons détestables et laids, couchés sur échine, bouche béate, abîmés dans leur roupil d'hiver, en apparence de cadavres. Des grenouilles à demi mortes aussi flottaient à l'entour, comme coagulées, statuettes de chair grisâtre attendant chaleurs nouvelles. Je sombrais, Monsieur le juge, ainsi que sombre dans l'étang le poisson-chat arrivé au bout de son âge : les flancs meurtris, promis à l'effrayant silence des gouffres, à l'enlacement visqueux des limons.

Mère, cependant, sortit de moi et s'établit à quelque distance, observant mon engloutissement. Lui tendant les bras, je prononçai à son intention d'ultimes paroles, escortées hors de ma bouche par nombres de bulles. Plus haut, à genoux sur le couvercle et scrutant les profonds, père devait traduire de ces bulles-là l'approche de mon trépas. Toujours calme comme hibou sur branche, je dis à mère : « Avec ces bullettes s'envole ma vie : voici venir la désinvention de mes jours ! Accueille-moi donc à ton côté, petite Mère ! » Puis je touchai son épaule. Sa défroque ondulait au rythme traînant des eaux. Je vis bientôt qu'elle versait quelque pleur, car des gouttes bleues, du même bleu que l'auréole des défunts, avaient commencé à flotter à l'entour d'elle, semblables à des pierrettes de prix. Ainsi donc, les larmes des morts ne se mêlaient pas à l'eau vive. Mais y avait-il, à la fin, quelque chose du mourir qui se puisse brasser au vivre ? Ou vifs et macchabées étaient-ils condamnés à ne jamais échanger véritablement ? Fallait-il donc absolument quitter cette vie pour nous relier aux trépassés ? N'existait-il donc pas quelque seuil mitoyen où vie et mort puissent enfin communiquer ?

Mais ma fin s'avançait, aussi fermai-je l'œil et demandai ceci, je ne sais à qui ni bien pourquoi : « À présent que le vivre me déserte, le temps vient de se questionner. Fus-je convenable résident de la Terre ? Aurai-je été bon fils ? Aimai-je suffisamment et d'adéquate manière ? Et, surtout, fus-je aimé, oh ! le fus-je seulement ? » Tels furent mes pensers de ce moment-là. Nuls autres ne me vinrent.

Une fois allongé sur le limon, je me revis reposant l'autre fois dans la bière de mère, et toisant le monde avec l'œil du trépassé. Mais le monde, à présent, n'était que brouillards et poisseries troubles. Mais sur le monde, à présent, flottaient cadavres de grenouilles, et viandes gangrenées, et végétations pourries et sans racines. Comment avais-je pu vivre dans ce monde-là ? Encore même aujourd'hui je ne peux éviter de songer : père se représentait la mort comme domaine de terribleries, d'alarmes, de disgrâces et de grimaces. Mais à la vérité, n'est-ce pas plutôt le fief des vifs lui-même qui est le plus terrible ?

Je n'eus pas loisir de finir mon toisement sous-marin. Dans le brouillard bourbeux des profonds, je vis tout à coup le bout d'une pique, allongée de son crochet. Cela fouilla habilement et prestement l'eau d'à l'entour, puis trouva à la fin l'encolure de ma liquette. Sitôt mon vêtement grippé, je me sentis soulevé avec force de ma couche de vases. Une poigne puissante venait de tirer sur la pique et me ramenait vers l'air. Le temps d'un saut de crapaud, j'étais hissé tel un loutron sur le couvercle de gelure. Levant avec faiblesse la face et risquant un œil, j'aperçus père posé à mes côtés, sa pique encore dégoulinante. Il me toisa mauvaisement, l'espace d'une courte durée. Je l'entendis alors prononcer ce dire : « Ta mère avait souci de prévenance, et n'usait jamais à la légère de nos herbes. Cette nuit, j'aurais recouvré mes sens même sans tes préparations et soins de fillette. Saignées et autres secours modernes auraient suffi à mon relèvement. Médite cela, la prochaine fois que tu voudras usiner quelque médecine ! »

Par suite, de son pas lourd et de tranquille allure, il s'en fut prendre la sente pour rebrousser à la cabane.

N'eût été de la morsure des froideries régnant à l'entour, j'aurais stationné long de temps couché et avoisinant le trou. Mais alors, le trépas eût vite fait de me cueillir comme fleur de glace. Quoique débile, douleurant en chaque repli de mon corps, j'élus préférablement de m'emplir le poumon de tout l'air qui m'était à présent redonné, puis de m'ébranler avec ce que m'autorisait encore le peu de nerf qui me restait. Ce n'est qu'à ce moment que je notai l'absence de mère, que je vis aussi que le vent ne soufflait plus, que les arbres, comme résignés, avaient suspendu leur plainte de craquements. Aucun signe non plus de quelque animal. J'étais seul, bien plus seul, ce me semblait, que je ne l'aurais été en outre-monde.

À demi congeluré, je me dressai donc péniblement, puis pris à mon tour le chemin de notre seuil. Derrière moi, glaceries commençaient déjà à refermer le trou de l'étang, telle une plaie sur la peau d'une bête. Car la nature n'est pas pareille à nous : nul cœur et nul sentiment ne toquent en son poitrin. Aussi son relèvement ne tarde-t-il guère.

Père avait-il agi ainsi sous l'empire de ses gens ? Ou alors ce détestable épisode avait-il été un élan de son propre gré, peut-être dû à son grand âge ? Les époques s'accumulant en sa vie, peut-être ses gens ne lui étaient-ils plus nécessaires, à présent, pour atteindre au dérèglement de son sens. Je ne pouvais le démêler. Mais une certitude m'emplissait tout entier : je ne pouvais plus, désormais, agir comme second et comme esclave dans ses folles entreprises. Il me fallait outrepasser ce funeste état et freiner le bras cruel de père. C'en était assez, assez : j'avais par trop essuyé d'infortune et pâti de ses manèges. Et puis, surtout, je devais savoir enfin : père m'aimait-il, m'aimait-il seulement ?

Égarai-je l'aplomb de mon casque, et pareillement la santé de mes gestes ? J'abordai en tout cas moi aussi, avec cette récente folie de père, les rives d'une sorte de démence.

Je patientai quelques jours que mes forces rebroussent tout à fait. Puis, par soir venu, quand la déesse Lune fut à son comble, que la forêt stationnait sous frimasseries et que père reposait en son roupil le plus calmement du monde, je quittai le séjour de ma paillasse et m'en fut empoigner l'un de nos coutelas. J'abordai père. Assisté en mon ouvrage par la vive clarté des astres, je visai au travers de la liquette et, d'un coup de bras incontestable, fis traverser le cœur de père au métal brillant. Le sort voulut que père survive au coup. Alors, renonçant entièrement au roupil, le voilà qui se dresse sur paillasse avec fortes et terribles criailleries et jette sur ma personne des yeux horribles, comme traduisant quelque cauchemar. Vif encore malgré tout (peut-être par la sève du désespoir, je ne sais), il m'assaille et me met sur face nombre d'ardentes mornifles puis, d'une savate, m'enfonce l'estomac, et me gauchit le col, et me déracine cheveux et poils, et me sarcle de ses ongles, et manque me disjoindre la clavicule, et pendant tout ce temps s'égosille et tonitrue à crever l'esgourde. Mais sur la paillasse le sang de père goutte de plus en plus, aussi chancelle-t-il à la fin, jusqu'à manquer d'assiette. Quand il choit, je le grippe par la chevelure et le mène dehors, traînant sur le sol de la chambrette son grand corps à demi vif et culbutant au passage table et tabouréaux.

Parvenu au grand air je jette père sur le sol, me penche sur lui et, tandis qu'il meurt presque, lui murmure : « Regarde, Père. Regarde bien. Toise encore une fois ces astres, ces étoiles : que lis-tu dans cet ouvrage céleste, que lis-tu ? Toi qui ne perçois que si peu l'image des morts, aperçois-tu au moins, ci-haut, celle des vifs ? Vois-tu l'image des vifs, Père ? Les vois-tu, eux et leur cœur tout palpitant et impatient de trouver en leurs semblables la marque du sentiment ? Ne vois-tu pas qu'ils ne peuvent convenablement exister sur terre si ce sentiment ne transparaît et ne se rend jusqu'à ce cœur ? Ne vois-tu pas que bourgeois et créatures rendent l'âme petit à petit s'ils ne sont abreuvés de la sève du sentiment ? Et ne vois-tu pas que décéder ainsi, morceau par morceau, durée par durée, asséché par manquement d'affection, est pour eux un sort bien plus funeste que celui réservé à ceux que la mort prend rondement ? Ne le vois-tu pas, ne le vois-tu pas ? Aussi fais-je preuve à ton endroit du plus grand amour en posant aujourd'hui le geste que voici. »

Et sur ces paroles, la vue troublée par mon pleur, je commençai à dépecer père.

J'enfonçai d'abord le coutelas dans le col et, par suite, le fis courir tout le long du ventre jusqu'à ouverture totale et séparation des peaux en parties égales. Après, fouillant lards, beurres, musclure et nervades, je raclai la cloison et entrepris de détacher le cuir de la charpente. J'allais efficacement : la déesse Lune avait bougé d'un saut de crapaud à peine quand j'entamai le dégrafage des boyaux, crépine, carnes et ficelles. Je vis se crever sous mes doigts les rognons, s'épandre la liqueur des boudins, se fendre les étoffes et tissures lardeuses jouxtant la carcasse, se briser l'arbre du poumon. Déjà ce n'était plus père que je creusais, mais un cloaque, mais un égout.

Je m'attelai par suite à le dépelurer entièrement. Chaque doigt fut vitement fendu par sa longueur, permettant ainsi à la pointe du coutelas de se faufiler sous le cuir et de désaccoutrer la chair. La main pâtit du même sort et goûta, par le milieu, du tranchant de mon outil, autorisant aussi bien le dégarnissement des paumes, des revers et des poignements. J'opérai semblablement sur toute la route du bras, divisant autant viandes molles que matières raides en parties semblables et nues. J'abordai les soies du menton avec aplomb : jamais on ne vit tranchant avancer plus hardiment en la substance d'une bête. Cela me mena à la base de la face, que je découpai non sans traverser le blair par son centre. Tout le casque suivit, le coutelas traçant là-dessus itinéraires depuis le front jusqu'à la nuque, ouvrant chemin sous chevelure. Je retournai alors père telle une tranche de choix, puis dessinai une sente de sang de la nuque jusqu'au train. Là, je formai en perpendicule une ligne semblable, désunissant le tronc des zones jambières, ce qui permit le dégarnissement de toute la pelure drapant la moitié supérieure de la personne de père. Vinrent les jambes, pour lesquelles j'usai de la même technique d'ouverture que pour les doigts : chacune fut entaillée comme petit pain et libérée de ses intérieurs. Par écorchade, je désengodillai enfin de leurs peaux les pieds de père. Il était nu, à présent. J'en fus tout esbaudi : de ma vie, pour la première fois, je pouvais voir entièrement en ses machineries, et le connaissais authentiquement.

Je considérai un moment la dépouille. Puis, je me penchai sur le territoire du cœur, demeuré accroché depuis tantôt à la résille des couennes. Tremblotteur, je dépris ce cœur, le défis en tranches fines au creux de ma main, pour voir, pour voir enfin. Mais mon espoir désenfla aussitôt, et je conçus dès lors à quel point je n'avais été, sur la Terre, qu'un fils mal aimé de son parent comme dans le repos de mère autrefois, je ne dégotai nulle trace de sentiment dans les creux, replis et galeries du cœur de père.

Jetant au sous-bois cette chair morte, les pleurs me piquant l'œil, je continuai ma besogne. Je la terminai enfin par l'étape du videment du casque, dont la teneur s'épandit bientôt, se mêlant aux barbaques variées jonchant le sol. Père n'était plus que cela, à présent : que viandes jonchant le sol, que matières se mêlant à la forêt. Partout ce n'était que bidoches tièdes et sirupeuses, sans la moindre trace du plus infime sentiment. Car je n'aperçus pas plus de chérissement dans le reste de l'infâme ragoûte des chairs de père que dans son cœur.

À travers les branches nues du grand hêtre, la voûte pâlissait quand je finis mon ouvrage.

C'est ainsi que les bourgeois du village nous trouvèrent. Dans la nuit, les criailleries effrayantes de père avaient alarmé les habitants. À l'aube, quelques-uns étaient accourus à la cabane, curieux de s'instruire de la nature de ces bruits montant noctantement du plus épais de la forêt et de notre cabane, la cabane des Courge. À leur arrivée, père reposait sous le grand hêtre en une paire de parties, si j'ose dire : son squelet, sa couenne, ses tripes, musclures et tubulures jonchant le tapis de neigette. Et sa pelure encore tiède de ses substances reposant entre mes bras. Car depuis tout à l'heure j'étais resté ainsi, caressant la peau vidangée de père, pleuroyant comme jouvenceau, déversant sur ce reste mou et bilieux tout le pleur jaillissant de mes yeux.

Et ainsi fus-je mené, par ces quelques bourgeois, à l'hospite dans lequel père et moi avions séjourné déjà. Je n'offris nulle résistance, me soumettant par suite tout mollement aux doctes et à leurs cures. Car on concevait volontiers que j'avais besoin d'être curé, en effet, mon apparence et mes manières rappelant à présent celles des insensés, mes quelques rarissimes paroles étant entièrement dépourvues de clarté et la direction même de ma vie ne faisant plus partie de ma préoccupation. D'une lune à l'autre, je demeurais ainsi allongé sur la paillasse de l'hospite, en parfait état de légumerie, apparenté en mon penser au lycopode, à la fougère ou à quelque plante croissant en forêt.

Après m'avoir fait avaler maintes granules et astreint aux plus grands examens de casque et de corps, on me posta comme à demeure dans une chambrette, où je restai une durée qui me parut fort longue. Chaque jour venait sur l'autre et remplaçait l'ancien avec les mêmes apparences semblablement : rien ne paraissait différent qu'en hier. Il ne me venait même plus en casque l'idée de me plonger en barrique et de m'y briquer sous eau tiédasse. Manon n'éveillait plus en moi le moelleux transport d'avant. Ces jours-là s'étaient envolés, à présent.

Par matin, le soleil s'ébranlait puis marchait en azur, jusqu'à périr à ponant. Se composait alors la voûte nocturne avec sa cohue d'astres et son silence tonitruant. Car les étoiles, méditais-je faiblottement, sont à la fois coites et volubiles. On ne les entend guère, mais on y devine une signification. Comme j'aurais désiré lire en elles, comme père le faisait aussi aisément qu'en livre ! Et à la vérité, aucun autre moment que celui-là ne me rappelait davantage père. Hors lui, y eut-il jamais sur terre bourgeois au silence plus entremêlé de fracas ? Car si père n'usait que peu des paroles, sa conduite en revanche criaillait, oui, elle criaillait.

Ces pensers et ressouvenirs emplissaient mes nuits et me trouvaient à l'aube épuisé, brisé comme fétu, pleuroyant extrêmement et pénétré de l'image obsédante de père. Un docte arrivait alors dans la chambrette, escorté par quelque garde-souffrant expert en l'art de piqûre. On me piquait effectivement, on me faisait avaler encore remèdes et solutions, puis je délassais. On quittait la chambrette, et quand je retrouvais balance on rebroussait, on me questionnait. Je répondais maigrement, ne sachant moi-même pas très assurément comment se comportaient ni mes chairs, ni mon casque, ni toute autre portion de ma personne.

Puis au fil des jours me sont rebroussées, au milieu de mes dérèglements, diverses et fragiles songeries de Manon. Je revoyais alors sa douce face, je croyais frôler à nouveau sa main et entendre encore ses paroles imprégnées de secours. Je regoûtais en pensers, quoique petitement, les joies de mes plongées en barrique. Il me paraissait que, de ma vie, jamais je n'avais été autant chéri qu'en ces brefs instants où la bonne Manon m'avait mené par les rues du village puis détergé vigoureusement. Jamais, hormis par la marmotte chez qui je séjournai à mon premier jour, n'avais-je en somme autant senti l'enchantement de la proximité. J'observais ainsi que, par une autre bizarrerie du sort, j'avais été mené à connaître ce sentiment, ce mouvement, ce saisissement mirobolant et insolite à cause de père lui-même, qui pourtant m'en avait toujours soustrait. Obscurité du sort ! S'instruira-t-on jamais du chemin impénétrable qu'empruntent les circonstances, du tour fumeux qu'adopte si souventes fois l'existence ? Ainsi, Monsieur le juge, qui aurait seulement pu entrevoir que je puisse, moi, le fils Courge, si semblable à la feuille du bouleau dans sa sensibleté et son frémissement, fendre les chairs de mon parent et lui infliger d'aller rejoindre l'outre-monde qu'il redoutait tant ? Comment songer qu'un fils aussi affamé de sentiment, de rapprochement et d'élan en arrive à achever son propre père ?

Mais à force de méditation et de solitaire délibération, je puis fort aisément, aujourd'hui, trouver répons à cette question. Car, enfin, où nous reste-t-il à chercher chez notre semblable, alors que nous ne trouvons ni sur sa face, ni sur ses mains, ni en sa conduite, ni même en son silence le chérissement tant convoité ? Où fouiller sinon en son cœur même, en ses chairs les plus secrètes ? Aussi je vous questionne tous, ci-devant moi rassemblés avec mission de trancher mon cas : quel fut mon tort ? À quelle coupablerie suis-je aujourd'hui réduit ? D'avoir voulu être chéri au point de sonder les profonds les plus épais de père ? D'avoir ambitionné de connaître en quelle tanière amour se terre ? Mais alors, qui, de nous tous, résidents humains de la Terre, est à ce jour blanc de faute ? De la première jusqu'à la finale heure de l'existence, ne sommes-nous pas, tous unanimement, chercheurs de chérissement, et comme sourciers de cœurs battants ? Ne désirons-nous pas ouïr le timbre exquis d'un gratte-cordes ci-dedans nos aimés ? Voici ma voix : c'est analphabisme désolant que de ne pouvoir lire en cieux par soirs d'étoiles. Mais c'en est un bien plus désolant encore que celui de ne pouvoir lire en nos semblables humains.

L'époque vint où je me sentis relever. Cela fut notable par l'appétit que j'eus un matin de me plonger à nouveau en barrique. J'en fis le vœu auprès d'un garde-souffrant. Ce jour-là, je fus donc infusé puis détergé longuement. Il me sembla dès lors doucettement retrouver en moi le bourgeois que j'avais cru à jamais égaré. Recouvrant faculté d'enthousiasme ci-devant l'image intérieure de Manon, je reconquérais par même occasion une sorte de verdeur. Je mâchais cette inexplicableté : tandis même que nous nous concevons sur le seuil du trépas, il arrive que des forces obscures et nouvelles nous rebroussent à la vie, nous forcent à renaître.

Une durée coula encore. J'émergeai, à la fin, de l'état végéteux où j'avais chu. On conçut dès lors que j'étais propre à me remêler à l'humanité. Menottes au poing et entrave à cheville, je fus donc bientôt voituré par policemen jusqu'à une geôle, ce logement que certains ont baptisé *taule*. J'y coudoyai nombre de bourgeois stationnant là depuis jolie lurette, partageant avec moi semblable destin de coquin, de fripouille et d'astucieux. On m'y boucla en chambrette barrelée, avec fenêtre semblablement grillée, paillasse moderne et bourrelée de faux polytric. J'y fus fort confortablement logé.

Là, pendant que je patientai longues périodes que la justice puisse attaquer mon cas, et afin d'aider au passage du temps, on m'instruisit de vocabulaire. Car il y avait, en ce lieu, école accordée à ceux d'entre les fripons qui ambitionnaient de s'élever au-dessus de leur condition vulgaire. Je conçus de cette sorte, au fil des jours, non seulement nombre de mots, mais pareillement leur sens et leur mesure, et mieux encore le pouvoir de leur résonance en esgourdes d'autrui. Qui démentira en effet que paroles compétentes rapportent davantage que mots échevelés et troués de silence ? Telle était ma condition avant que d'aboutir en geôle : j'allais, comparable en cela à père, ainsi qu'un sous-parleur. Ce n'était pas, comme lui, que je discourais peu. Mais mon discours était bancroche et béquillard. Si j'avais été plus tôt pénétré de vocabulaire, peut-être aurais-je pu mieux aborder père, et ainsi m'en mieux faire comprendre. Et peut-être aurais-je pu, par la seule puissance fouillante des mots, le creuser de meilleure façon et, à la fin, dégoter le lieu secret en sa personne où amour se dissimulait, et voir cet amour-là jaillir en air à l'entour comme alouette quittant le nid.

Car forte parole est outil. Mais moi, je ne sus qu'empoigner coutelas. Et forte parole est lorgnette tonique de regard. Mais moi, je ne sus user de mon œil qu'à la manière des taupes : myopiquement, et sans mèche allumée en sa pupille.

Ah ! si j'avais conçu plus tôt que les mots sont comme clés de glotte, et que par eux se défont les obscurités du secret ! Si j'avais connu avant d'évider père les paroles emplisseuses d'entendement, et avoueuses de sentiment, et traductrices de gouffre humain ! Si j'avais su que discours est comme clôture à troupeau : qu'il restreint la dispersion de soi, et en autorise l'agroupement, et en favorise le guet et la meilleure connaissance. Oh ! si j'avais pu connaître à plus hâtive heure la parole qui nomme toutes choses, y compris amour, et ainsi leur donne corps et forme concrète, si concrète qu'on peut désormais voir, voir toutes choses ! Ah ! si j'avais su que vocabulaire est ainsi que le drap posé sur le fantôme, lui donnant apparences et dehors, et lui retirant enfin sa détestable invisibleté !

Aussi je dis : heureux soit le parleur, car avec ses mots il est pareillement au bourgeois qui voit à l'intérieur de ses semblables, qui les démembre, les éviscère, mais sans user pour autant de son coutelas, et déchiffre leurs teneurs, et traduit la substance de leurs cœurs, et voit ainsi véritablement l'amour. Heureux, les parleurs ! Car ils ont l'œil clairvoyant et traverseur de corps, et fouilleur d'épaisseurs ! Et, de même, celui qui possède forte parole évite que le tranchant de l'outil d'autrui ne lui découpe ses propres viandes et beurres : car celui-là use de son discours comme d'un livre ouvert, et tourne les pages de son histoire à qui les veut lire. Oui, heureux, les parleurs ! Car ils voient de leur œil le sentiment, ce raton terré en nos tanières et logements de chairs ! Heureux, heureux, les parleurs ! Car ils avancent sur la vie et reculent l'horizon de la mort, peuplée de taiseurs !

Enfin, au bout d'une époque, on me renseigna que justice était parée à me recevoir. Ce fut le bout de mes leçons de mots, était venu le temps du quittement de tout cela. Je fis adieux à mes compagnons de bagne ainsi qu'à mes garde-coquins. Ne possédant que clous et néant, je n'emportai par-devers moi aucun bien, hormis le vêtement de captif dont on avait accoutré ma personne à mon arrivée. Je portais toutefois et à jamais au plus épais de moi-même l'avoir le plus précieux : la parole, la parole qu'on m'avait autorisé à prendre en me faisant enseignement de vocabulaire, et qui, à présent, éclairait mon pas dans les ténèbres du monde. Car forte parole est outil, et lampe dans le soir.

Puis on me mena bientôt ci-devant vous, Monsieur le juge, et pareillement sous vos regards, Bourgeois et Créatures composant le jury de ce tribuneau, afin que je narre mon histoire, que je reforme pour vous le parcoursement de mes pas sur la Terre, et qu'on en puisse juger.

C'est, à présent, matière accomplie.

Je terminerai mon récit, Monsieur le juge, en risquant ceci : j'incline à croire que si parfois les morts paraissent aux vifs, c'est afin de continuer de leur témoigner quelque sentiment et bontés. Ainsi vis-je toujours mère paraître, ainsi père lui-même vit-il paraître, une nuit, ses propres père et mère : pour qu'ils puissent, par-delà les limites de l'ici-bas, manifester leur chérissement, même si ce chérissement-là ne peut jamais supplanter celui des vifs. Car les morts sont avec les morts, et les vifs, avec les vifs : on ne saurait passer d'un monde à l'autre si commodément.

Mais c'est un tour singulier du sort que, depuis son trépas, père n'ait jamais paru ci-devant ma personne. Comment traduire cela ? Je le puis dire aujourd'hui : simplement, la hotte intérieure de père ne contenait plus assez de sentiment pour moi. N'avait-il pas tout donné à mère ? Ce fut là, assurément, toute mon infortune : de n'être apparu sur cette Terre qu'après mère, et lorsque les machineries de père, exsangues et calcinées, fumaient encore des suites du grand sinistre de son enfance. Après le trépassement de mère, père aura employé toute sa vie à tenter de réparer cette mort hâtive, imméritée et douloureuse. Aura-t-il abouti ? Sera-t-il parvenu, à la fin, à quelque adoucissement de sa douleur ? Peut-être ses gens auront-ils servi à cela : à le faire pénétrer en un monde avoisinant celui où mère existait désormais, un monde réel, quoique dépourvu, à notre œil, de sens et de direction.

Et par même raisonnement je conçois aussi, à présent que je puis par les mots cerner les choses et les déchiffrer meilleurement, que si, après sa mort, mère ne parut jamais à père, c'est qu'elle m'aura, depuis l'outre-monde, fait don entier de son sentiment. Oui, cette chose que m'apportait toujours mère lorsqu'elle paraissait, ce tremblement qui faisait cogner mon cœur en poitrin, cela se nommait amour. Oui, je fus assurément et fortement aimé, je le fus, je le fus. Seulement je ne l'aurai été que d'une morte, d'une morte seulement.

Aussi est-ce aujourd'hui finalement que je m'instruis de la signification du chagrin sans cesse lisible sur la face de mère et sur celle de chaque macchabée. Cette mélancole tient en ce que vie et mort demeurent éternellement contraires, et qu'entre elles nul discours, nulle communication durable et nul feu aprofond ne sont possibles. Aucun couloir ne les réconcilie jamais. Ainsi, mère est triste parce que vie est timbre, et note, et musique, et embrasement, cependant que mort est silence, et mutisme, et délaissement, et désolation.

En fruit de tout cela, je dis : fasse donc la déesse Lune, veillant sur salut humain, que bientôt potence me rompe le col et me mène auprès de père et mère dans le silence des choses, et qu'ainsi reliés nous devenions premiers macchabées à sourire enfin.

Pour joindre l'auteur :

jfbeauchemin@aol.com
et sur Facebook

L'impression de cet ouvrage sur papier recyclé a permis de sauvegarder l'équivalent de 6 arbres de 15 à 20 cm de diamètre et de 12 m de hauteur.